광수생각2

Kwangsoo's thoughts 2

100% kwangsoo's thoghts 2

FILE

♡	⊠	⑩	👁
OPEN YOUR HEART	TAKE IT EASY	SLOWLY SLOWLY	READ IT PLEASE

kwanGsoo's thoughts 2

 sodampublishingcompany

펴낸날 | 1998년 11월 17일 초판 1쇄
       2002년 3월 10일 초판 53쇄

지은이 | 박광수
펴낸이 | 이태권
펴낸곳 | 소담출판사
        서울시 성북구 성북동 178-2 (우)136-020
        전화 | 745-8566~7 팩스 | 747-3238
        e-mail | sodam@dreamsodam.co.kr
        등록번호 | 제2-42호 (1979년 11월 14일)
기획 · 편집 | 박지근 이장선 가정실 구경진 미현숙
미   술 | 김미란 이종훈 이성희
영업책임 | 홍순형
영   업 | 박종천 박성건 이도림
관   리 | 유지윤 안찬숙 장명자
디자인디렉터 | 신진택 de#sharp
디자인 | 곽철영 박재욱 de#sharp
사   진 | 유욱재
출력 및 제판 | 그린테크

onion 양파

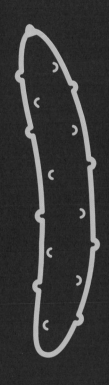

cucumber
오이

짜장면, 간짜장, 짬뽕, 울면, 우동, 기스면, 삼선짬뽕, 짬뽕밥, 해물짬뽕, 볶음밥, 잡채밥, 오므라이스, 물만두, 야끼만두, 탕수육, 모듬해물요리, 해삼요리, 가이바시볶음, 난자완스, 푸주잡채, 장수탕, 과중어치탕, 오징어직화, 금풍생이구이, 서대화, 청어리상추쌈, 수정새우, 새우 쇼마이, 북경오리껍질요리, 아스파라거스, 우럭, 딤섬모듬, 생선만두, 부추쇼마이, 쇠고기찜만두, 새우만두, 고기만두, 왕후면, 상요리, 사풍냉채, 전가복, 삼슬삭스핀, 삼선삭스핀, 덩어리삭스핀, 해삼요리, 가재찜, 왕새우튀김, 깐풍가이바시, 게살삭스핀, 닭고기 땅콩볶음, 사품냉채, 오향장육, 오향장족, 송화단, 옛날짜장면, 류산슬, 북경뢰, 자라요리, 제비집스프, 오렌지쇠고기 탕수육, 고추잡채, 유산슬, 간소새우세트, 호화냉채, 유미자장, 새우만두, 표고비섯만두, 연어알만두, 부추만두, 우유만두, 돼지고기 쇼마이, 상어지느러미 만두, 소롱포...

래리성, 만리장성, 중국성, 장강홍, 서해루, 용호반점, 신흥반점, 신진루, 호화반점, 천일향, 용해루, 장순루, 홍콩반점, 용비각, 옥보단, 영복루, 현종반점, 희정각, 여란반점, 정전자, 일화루, 삼천각, 동보성, 장춘각, 정무문, 휘비항, 회춘루, 호걸반점, 여향, 상해, 오구반점, 옛날진지상, 도원, 호경전, 연경궁, 야래향, 상하이, 금문도, 국빈반점, 일용, 함춘원, 옛날짜장, 명보성, 팬차이나, 중국원, 난향, 연경, 희래등, 팬다, 취영루, 청해, 오후청, 이세아도원, 복록수 북경, 만보성, 만강홍, 로터스가든, 만리장, 기소데, 구불리, 와룡각, 가야성, Mr.Lung, 금룡, 해당화, 열빈, 백리향, 동흥관, 아리산, 길림성, 만다린...

원조중국요리, 번개배달, 신비의 맛 최후의 선택, 수타식 정통요리, 전지역 신속배달, 새벽 5시까지 영업합니다, 소주와 물만두 서비스, 넘버3 촬영한 중국집, 선택의 만족, 미장동에서 요즘 제일 맛있는 중국집, 특급서비스, '시원 시원 한 가격으로 모십니다, 단체 회식 예약환영, 요리의 달인 링링주방장, 고춧가루 무료서비스, 전화만 주세요, 출장배달 '전국 어디든지...', 한그릇도 정성껏 배달, 단무지 재사용 안합니다, 따저보세요! 서비스 전쟁 선포, 월말 계모임 환영!, 앳 탕수육이 6,000원...

인생은 짜장
면과 같다

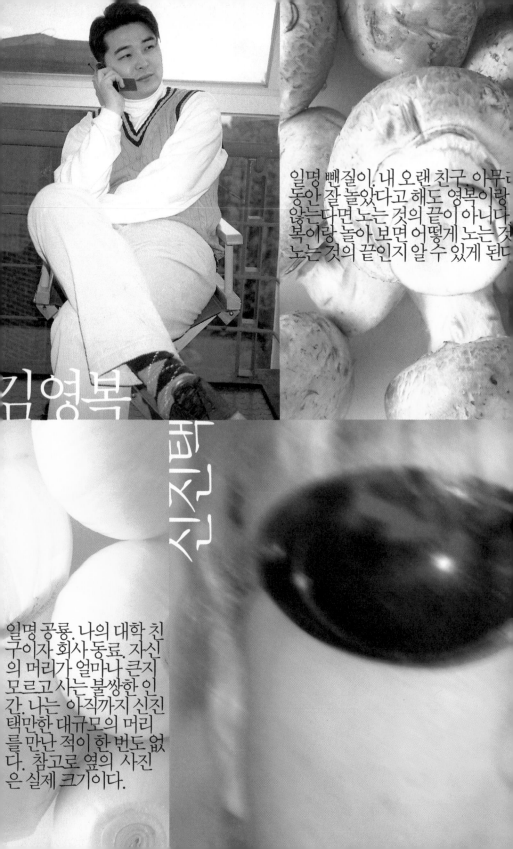

일명 빼질이. 내 오랜 친구 아무ㄷ
동안 잘 놀았다고 해도 영복이랑
않는다면 노는 것의 끝이 아니다
복이랑 놀아 보면 어떻게 노는 것
노는 것의 끝인지 알 수 있게 된ㄷ

김영복

신진택

일명 공룡. 나의 대학 친
구이자 회사 동료. 자신
의 머리가 얼마나 큰지
모르고 사는 불쌍한 인
간. 나는 아직까지 신진
택만한 대규모의 머리
를 만난 적이 한 번도 없
다. 참고로 옆의 사진
은 실제 크기이다.

명 스포츠 소년 빌리. 우리 작업실의
내 한때 운동에 만능이었으나 요즘
잘 못한다. 건방져진 박광수가 최근
조선일보 가는 것을 막내 철영이에
시키고 있다.

곽철영

유준열 배영길 박기영

일명 컨디션 삼총사. 그룹 동물원의 맴버들. 내가 가장 좋아하는 형
들이자 술친구이다. 우리는 피보다 더 진한 술로 맺어진 형제이다.

남희정 박상준

일명 뺑덕어멈과 떼쟁이. 내 집사람고
아들. 뺑덕어멈 남희정은 자신이 한
은 무조건 맛있다고 해야 되며, 떼쟁
박상준은 세상의 모든 일이 자신이 할
해결된다고 믿는다.

이태

일명 홍길동. 내 책을
만들어 주시는 소담
출판사의 사장님. 우
리는 사장님의 호적
나이만 알 뿐 그분의
정신연령은 아무도
모른다. 실제 바쁜 것
보다 더 바쁜 사나이.

일명 고3. 내 오랜 친구. 고3이라는 별명은 여고3학년만한 가슴을 가지고 있어서 붙은 별명이다. 조만간 현종이는 우리에게 브래지어를 선물 받아야 할 것이다.

정현종

바블맨. 우리들의 사진을 찍어주는 찍Z의 말은 70퍼센트는 다. 그리고 나머지 센트의 말도 한 번쯤 할 가치가 있는 말이, 여자에 관해서만 는 그의 거품이 빨리 기를 바란다. 그는 의 전화번호를 남겨 고 요청했다. 017-27 3

유욱재

인생은 어쩌면 짜장면 같은 것인지도 모릅니다. 누가 어떤 방식으로 비비던, 결과는 늘 짜장면입니다. 단지 같은 짜장면을 놓고 당신이 맛있게 먹느냐 맛없게 먹느냐는 당신에게 달려 있습니다. 자, 여기에 제가 열심히 만들어 내놓은 짜장면 한 그릇이 있습니다. 짜장면의 재료는 제 눈물과, 기쁨과, 꿈과, 노력입니다. 당신이 맛있게 드셨으면 좋겠습니다.

아너하떼요?
데 이르믄 바당준임니다.
마나서 바가어요.

t¹

안녕하세요?
저 초라예요...

박광수 씨께 1998.10.13 Tue

하늘이 파랗습니다.
누가 물어보면 '가을이니까' 할 정도의 전형적인 하늘이군요.
이런 날 집에서 e-mail 따위나 쓰고 있다니 참 애인 없는 69년생의 설움이
이런 데 있습니다. 예쁜 아내가 있는 69년생 남자는 저의 이런 궁상 섞인
넋두리 쯤이야 한낱 코웃음거리겠지요.

우리가 처음 만났을 때 기억하세요?(하! 연애 편지 분위기군요)
겨울이었는데, 페이퍼 인터뷰 때문이었는데 황경신 씨와 김원 씨 옆에
조그만 봉지를 들고 서 계셨었죠. 나는 박광수이고 페이퍼에 만화를
연재하고 있으며 오늘은 그냥 별일없이 이소라 씨 얼굴 보러 나왔다면서
제게 소라과자 한봉지를 안겨 주셨었죠.
흠, 제가 박광수 씨의 첫인상에 대해 얘기한 적 있나요?

'이 사람은 외모와 달리 까다롭고 섬세하며 조심스럽게 웃긴다'

그게 94년 즈음이었으니, 우린 만난 횟수와는 관계없이 머릿속에서
4년의 시간을 함께한 겁니다. 누굴 한 번 만날려면 몇 번을 고심해야 되고,
만나서도 내가 지금 잘하고 있는건가 불안해 하는 게 나란 사람인데,
그래도 박광수 씨 만나서는 그래 본 적 없이 편했던 것 같군요.
늘 먹는 자리여서 그랬겠지만... 술로 2차 3차 간다는 얘긴 들어봤지만
우리처럼 밥 먹으러 2차 3차 가는 사람은 별로 없지 않습니까.
남들이 알까 부끄럽습니다.

편지라는 게 그래요. 처음엔 쓸 거 없는 것 같다가도 주절이 주절이
늘어놓다 보면 장광설이 되기 마련이니 오늘은 이쯤에서 자르려고 합니다.
전에 그 주황색 광수생각 책 보면서 나도 이런 예쁜 책 한번 내봤으면 하는
부러움과, 요즘 괜히 이일 저일로 바빠서 고기 먹으러 가자는 약속 미루고
있는 것에 대한 미안함과, 두 번째 책을 낸다는데 또 무슨 얘기와 그림들이
들어 있을까 궁금해 함을 알려드리기 위한 편지라는 것을 밝히며 이만.
^_^ (명색이 e-mail인데 이정도 그림은 있어야 하지 않습니까?)

추신... 너무 갑자기 끝을 낸 것 같은 느낌이 들어서 뭐 하나 물어보려고 하는데
      결혼할 때 '아, 이 사람이다' 하는 운명적인 느낌이 옵니까?

이소라 | 가수

나 해..

김씨, 박씨, 권씨, 강씨, 정씨,
한씨, 조씨, 이씨, 오씨, 임씨, 차씨,
홍씨, 윤씨, 갈씨, 채씨, 신씨, 소씨, 도씨,
선씨, 장씨, 형씨, 계씨, 강씨, 고씨, 곽씨, 안씨,
문씨, 류씨, 민씨, 맹씨, 백씨, 변씨, 양씨,
송씨, 방씨, 유씨, 함씨, 우씨, 허씨, 전씨, 웅씨
성씨, 추씨, 새해에는 희망차자.
누가 무라고 해도 희망차자.
꼭 부탁한다.

혹, 빠진 성씨도 희망차자 꼭… 광수생각 END

이 세상에 있는 모든 책들의 첫 페이지를 펼치면
희망이라는 단어가 제일 먼저 나오기를 나는 소망한다.
희망! 최소한 내 책의 첫 번째 페이지는
희망이라는 말로 시작했다. 내 책에서 그런 것처럼 당신의
인생 첫 페이지에도, 그리고 마지막 페이지에도 희망이라는
단어가 늘 가득 차 있으면 좋겠다.
희망!
희망?
희망...

나는 감수성이 예민한 편이다.

웬만한 여자 못지 않게 세심한 부분도 있어서

학교 다닐 때에는 예쁜 공책을 사서 그 안에 예쁜 말들을

잔뜩 써놓곤 했었다. 그리고 사랑에 빠진 이후에는

내 예쁜 공책에 예쁜 말들 대신 내가 사랑하는

사람에 대한 말들을 가득 채우기 시작했다.

매일매일 그 사람에 대해서 생각하고,

그 사람에 대해서 글을 쓰고, 눈에 보이지는 않으나

내 몸 깊숙한 곳에 있는 나침반은 늘 그 사람을 향하고 있었다.

어느 날 그 사랑이 매우 힘들다고 느껴졌을 때, 내 예쁜 공책을

가득 채우던, 그 사람에 대해 썼던 글들이 다시 읽고 싶어졌다.

그러나 결국 나는 죄다 찢어버릴 수밖에 없었다.

그때 내 예쁜 공책은 은밀한 기억처럼 찢겨 없어졌지만,

아직도 나침반은 그 사람을 향하고 있다.

나 찌지...

여기서 낚시하면 안된다는거 모르고 하는 겁니까?

낚시금지
-물고기백-

네, 저도 이제서야 알것 같아요!

무릎요?

선도

제가 낚시한지 4시간이 지났는데 한마리도 못 잡아거든요!

그래서 낚시금지구나...

고기들을 이민 보내지 말아주세요. 광쓰쌔긓태비

비온 다음날 집 밖에 나가 보면 지렁이들이 참 많다.
그 지렁이를 보고 있으면 출처가 매우 궁금해진다.
내가 아는 사람들 중에는 비가 올 때 지렁이가 하늘에서 비를 타고
떨어진다는 얘기를 하는 사람들이 있고, 풀 속에 있다가 비가 오면
물을 마시기 위해 기어나온다는 얘기를 하는
사람도 있다. 아무튼 나는 지렁이가 싫다. 싫은 정도가 아니고
사실은 지렁이를 무서워한다. 가끔 친구들이 이상한 곤충이나
지렁이 같은 것으로 나를 위협할 때면, 나는 짐짓 무섭지 않은 척을
하지만, 한강 같은 땀줄기가 등으로 흐르는 것이 느껴진다.
그래서 나는 절대 낚시를 하지 않는다.
떡밥도 지렁이도 싫기 때문에...

아니, 왜 풀을 먹는 거예요?

아니…

배·배가 고파서요…

어이휴 - 불쌍해라… 얼른 뒤뜰로 오소!

와! 찬밥이라도 주실 모양이네…

좋은 할머니다…

자. 마음껏 먹으슈! 뒤뜰엔 풀이 많다우…

극복되지 않는 불행은 없습니다. 광수생각.TV

아부지는 내가 투정을 부릴 때마다,
아부지는 어렸을 적에 풀을 먹고 자랐노라고 늘 자랑스럽게
이야기하신다. 난 그때마다 아부지를 마치 소 쳐다보듯 했고,
요즘 열 살 정도 차이 나는 대학 초년생 후배들을 만날 때면,
내가 어렸을 때는 지우개가 없어 고무신으로
연필을 지웠다고 얘기한다.
그럼 후배들은 나를 고무신 쳐다보듯 한다.

우리는 점심 때마다 무얼 먹을지 고민한다.
요즘 우리가 잘 먹는 것은 '쌈밥'이다.
가격은 오천오백 원이다.

수고 하셨습니다. 당신은 제 마음에 착륙 하셨습니다. 광수생각.EV

누군가의 마음속에 들어간다는 것이
결코 쉬운 일은 아닌 것 같다.
아니 어쩌면 누군가의 마음에 들어간다는 것이
세상에서 가장 어려운 일일지도 모르겠다.
나는 나이가 들어가면서 그것을 더욱 절감하게 된다.
학생 때에는 친구들을 만나면 아무 생각 없이 어울릴 수
있었던 것도 나이가 들면서는 서로에 대한 이익에
민감해져서 오랜 우정이 깨지는 것을 경험하기도 한다.
그런 만큼 나이가 들어 사귀는 사람 가운데 정말 내 마음을
이해해 주는 사람을 만나고 그 사람을 사랑하게 되면,
나는 이 만화에서처럼 똑같은 이야기를 해주고 싶다.
"수고하셨습니다. 당신은 제 마음에
착륙하셨습니다."

희정이가 작업실 이전오픈 기념으로 고속버스 터미널에서 사다준
삼만 원짜리 장난감 비행기이다. 처음에는 천장에 매달아 두었었는데
끈이 약해 떨어져서 그냥 선반 위에 올려놓고 보고 있다.

아주 오래전부터 저를
따라 다니는 상자가
있었습니다.

제가 어렸을때 그 상자를 처음
열었을때. 그 상자는 무언가로 가득
차 있어서 다른것은 넣을 수 없었습니다.

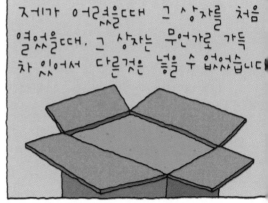

시간이 얼마나 흘렀을까..
그 상자를 열었을때. 다시
상자의 꽉찬 물체는 조금
변해 있었습니다.

시간이 지날수록 물체는 점점 작아졌고
상자에 다른것들을 넣을수 있는 여유가
생겼습니다.

나 상자...

...

하지만. 그 물체가 무엇인지 아는데는 그리 오랜
시간이 걸리지 않았습니다. 그것은 날로 작아지는 나의
양심이었습니다.

....

...

상자를 열어 보십시오. 예전 그대로인지... 광수생각 EM

나는 사람들을 잘 믿지 않는다.
텔레비전에 나와서 자신의 잘못을 고백하는 사람들이나
과거의 일을 말하면서 눈물을 흘리는 사람들의 말을
잘 신용하지 않는 편이다. 나는 속으로 그들에게 진실을
말하라고 외친다. 사람들이 그 진실 속에서 양심대로
행동한다면 거짓 눈물은 세상에서 없어질 것이다.
내가 세상에서 가장 싫어하는 것은 거짓 눈물이다.

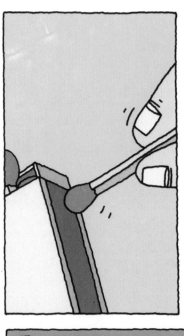

새해에는 당신을 잊어 보겠다고
당신이 내게 주신 물건을 모두
태웠습니다.

물건이 모두 까맣게 재로 변할 때즈음. 나는 알게 되었습니다.
당신이 내게 주신 물건들은 태워 없애 버릴수 있지만.
당신에 대한 그리움은 지울 수 없다는 것을...

끝끝내 우리는 함께일지 모릅니다. 광수생각.터

한 십육 년쯤 됐을까?

그때 김지하 님의 시집 '애린'을 읽었다.

지금은 기억이 잘 나지 않지만 잊혀지지 않던 글들이 있다.

"그래 잊어줘! 난 벌써 잊었어.

단 하나, 함께라는 말. 지금 여기 끝끝내 우린 함께라는 그 말.

그 말만은 잊지 말아줘. 나머지는 얼굴도 이름마저도 다 잊어줘.

난 오래전에 아주 오래전에 벌써 잊었어.

애린이란 네 이름마저 그 옛날에."

나도 그 글처럼 다 잊어버렸는지도 모르겠다.

하지만 그 시에서처럼 내가 잠시나마 사랑했고 나를 사랑했던

많은 사람들과의 추억은 끝끝내 안고 갈 것이다.

그게 내가 살아가는 방식이니까...

겨울 저녁 대부분의 사람들에게 눈은 축복의 대상이지만.

와, 눈이다...

청량리역

마땅히 잘곳없는 걸인에게는 체온을 빼앗아가는 몹쓸 녀석 입니다. 오늘도 추운 겨울입니다.

추워...

새벽 1시가 조금 넘은 시간에 컵라면을 들고 역으로 향하는 사람이 있습니다. 걸인들이 동사하기 쉬운 시간이 2시에서 3시 사이랍니다.

그 추운 새벽 사발면을 들고 청량리역 구석구석을 다니는 한사람때문에 여러명의 걸인들이 라면의 온기로 목숨을 건질 수 있게 됩니다.

나 사발면..

전 연말 특집으로 이런 착한 모습의 만화를 그리는게 너무 지겹습니다. 언제나 착한 세상이었으면 합니다.

땡그랑...

올 겨울은 좀더 따뜻한 겨울이면 좋겠습니다. 광수생각 타

예전에 춘천에서 바람을 쐬고 청량리 역에 내린 적이 있다.
그때는 몹시 추운 겨울이었고, 눈이 조금씩 내리고 있었다.
청량리 역에서 우리집으로 가기 위해 버스를 타려면, 청량리
창녀촌을 가로질러서 58번 버스를 타야 했다. 역에서 얼마 걷지
않았는데, 골목의 맞은편에서 거지 같은 사람이
내 쪽을 향해 걸어오고 있었다. 그는 나를 지나칠 때쯤
갑자기 멈추어 서서는 골목에 있는 미장원 창가쪽을 바라보았고,
무료했던 나는 별 생각 없이 그의 행동을 주목했다.
그는 미장원에서 이미 한참 전에 먹고 내놓은 듯한
짜장면과 짬뽕 그릇이 놓인 쪽으로 천천히 다가갔다. 그는 내 시선엔
아랑곳 않고, 그릇 앞에 무릎을 꿇었다. 남은 짬뽕 국물 안에는 눈도
쌓여 있었고, 미장원 사람들이 먹고 입을 닦았을 법한 휴지 조각들도
담겨져 있었는데, 그는 짬뽕 국물 안에 들어 있는 휴지 조각들을
빼내지도 않은 채 국물을 마시기 시작했다.
나는 그의 행동에 너무나 충격을 받았다. 당시 주머니에 약간의 돈을
가지고 있던 나는 측은한 마음에 그에게 돈을 건네고도 싶었지만,
그가 나에게 어떠한 '해꼬지'를 할까 봐 그렇게 하지 못하고 그
자리를 피해야만 했다. 한참 오래된 일인데도 그 일이 내 머릿속을
떠나지 않는 것은 내가 그때 그에게 돈을 건네지 못했기 때문일
것이다. 내가 만약 그때 그에게 돈을 건넸더라면 이렇게 오랫동안
마음의 부담을 안고 살지는 않을 텐데 말이다. 언젠가 시간이
허락한다면, 병준이 형과 지나가는 말처럼 약속했던 눈 오는
날 새벽 청량리에 나가서 사발면을 나눠주는 내 마음속의
의식을 치루고 싶다. 성인의식 말이다.

선글라스는 꼭 여름에만 끼어야 한다.
밥은 꼭 아침, 점심, 저녁으로 하루에 세 끼만 먹어야 하며,
커피숍에 가서는 꼭 커피를 마셔야 한다.
등산을 할 때는 등산화를 신어야 하고,
수영을 할 때는 꼭 수영복을 입어야 한다.
우리는 우리가 정해 놓은 원칙들이 즐비한 삶 속에서 매일매일
갑갑해 하면서 살아가고 있다. 정말 꼭 그래야만
하는 게 도대체 어디 있다는 말인가!

사진에 나온 안경보다 내가 가지고 있는 안경은 더 많다.
내가 습관처럼 구입하는 것들은 안경과 신발이다.

나는 어렸을 때 수유리에 있는 **세일극장 뒤**
변동에서 살았다. 전형적인 주택가였던 그곳은
(지금은 완전히 유흥가로 변했다) 긴 골목들이 미로처럼
연결되어 있었는데, 지금도 그 골목 구석구석에는
내가 숨겨놓은 추억들이 감춰져 있다.
별다른 놀이거리가 없던 그 당시, 우리가 매일 하며
놀던 일은 벨 누르고 도망 가기와 연탄 부수고 도망 가기였다.
그때는 열심히 골목길을 뛰어다니는 놀이가 왜 그렇게
재미있었던 걸까. 우연히 예전에 살던 동네에 가게 될 때면
예전처럼 **골목 끝에서 끝까지 열심히**
뛰어본다. 그러면 짧은 시간이지만 예전의
그 어린 마음으로 잠시 돌아가는 것 같다.
나는 언제나 그 골목이 그립다.

우리들이 모래민족이 아니라는 것을 보여 주어야 합니다. 광수생각. E비

가끔 주변의 어른들이 아이들 키우는 데 분유값
때문에 걱정이라는 푸념을 할 때마다
'도대체 분유 한 통이 얼마나 한다고 저렇게
엄살을 떠는 걸까' 하고 생각했다. 나는 아마도
그때, 아이는 한 달에 분유 한 통만을
먹고 자란다고 확신하고 있었던 것 같다.
그런데 정작 아이를 낳고 보니, 분유값은 물론이고,
기저귀값이며 기타 잡비 때문에 눈물이 날 지경이었다.
그때 그 어른이 말씀하신 '분유값' 이란 기저귀값과
기타 여러 가지 아이에게 들어가는 잡비를 통칭한 것으로
생각되는데, 그걸 대수롭지 않게 생각했던 나는,
대책을 세우지 않았던 내 자신에게 저절로 한숨이 나왔다.

가스를 주입하는 장난감 총이다.
이 총으로라면 박스쯤은 쉽게 뚫는다.
장난 삼아 왕머리 신진택의 궁뎅이에 쏴봤지만,
신진택의 궁뎅이는 뚫지 못했다.
가격은 생각보다 비싸다.
지금 당신이 생각하는 가격보다도...

자네, 결혼기념일이 곧 돌아오지?

그래, 다음 주 수요일이 결혼 20주년이야.

부인에게 줄 선물은 장만했나?

호주로 여행을 떠날거야…

오! 호주… 멋진 곳이지. 아주 근사한 선물이군. 그럼 30주년에는 뭘 선물할건가?

응, 호주에 가서 그녀를 데리고 와야지…

… … …

무서운 놈

일년에 한번쯤은 집사람을 위해 여행을 가십시오. 광수생각. END

우리는 아기를 낳기 전에 충동적으로 여행을 다니곤 했다.
텔레비전을 보다가 텔레비전에서 바다가 나오면 뺀질이 김영복을
꼬셔서 차를 얻어 타고 동해바다까지 열심히 내달리곤 했다.
나는 항상 의기양양하게 출발하지만 시간이 조금만 지나면 바닷가에
도착할 때까지 차 안에서 내내 잠만 잔다. 먼 길이어도
잠이 들면 금세 도착하고, 그럼 뺀질이 영복이는 나를 깨운다.
집사람들이 차 안에서 해가 뜨는 걸 보는 동안, 뺀질이 영복이와
나는 해변가로 가서 같이 오줌을 눈다.
우리는 그렇게 일 년에 한 번 거풍을 한다.

거풍 : 밀폐된 곳에 두었던 물건에 바람을 쐼.

그녀는 20년만에 고국으로 돌아왔습니다.

그녀는 어머니를 찾으러 왔지만, 그녀가 찾은것은 20여년전 보육원 뒤뜰에서 타던 조그만 목마뿐이었습니다.

1969·10·13

이 땅에 태어난 아이들, 이 땅에 살게하는것은 우리 몫입니다.광수생각

나는 시간이 조금 더 지나면 아이를 하나
입양할 계획이다. 비밀로 하는 입양이 아니고
공개 입양을 할 계획이다. 시간이 조금 더 지나야 하는
이유는 지금 내 자식들이 너무 어리기 때문이다.
아이들이 좀 더 자라서 나와 의사소통이 가능해지고,
내 말뜻을 이해할 때쯤 내 아이들의 의견에 따라서
입양할 계획이다. 어려운 일일 수도 있으나, 반면 쉬울
수도 있는 일이다. 꼭 그렇게 하고 싶고,
그래서 이 자리를 빌어 증거를 남기는 것이다.
그것은 내가 살아가면서 꼭 해야 할 몫이라고 생각한다.

....

삐뽀.
삐뽀..

앗, 장의차!

묵념...

지금껏 자네와
장기를 두었지만, 오늘이
가장 인상 깊었네.
내기에 이기느냐 지느냐
하는 순간에 장례행렬에
경의를 표하다니, 정말
믿을 수가 없네!

그래도 우린
결혼해서 25년간
함께 살았거든.

저는 집사람과 천년만년 살겁니다. 광수생각 EN

컴퓨터, 운동화, 술, 담배, 닭꼬치, 핸드폰, 짜장면,
화투, 전등, 손가방, 세탁기, 텔레비전, 비디오, 우산, 휴지, 안경.
내가 사랑하는 사람들을 위해서 버릴 수 있는 것은 얼마나 될까?
내가 사랑하는 사람들을 위해서 버리지 못하는 것은 얼마나 될까?
궁금하다...

나는 핸드폰을 잘 켜놓지 않는다. 그래서 다들 나랑 연락하기가 어렵다고
투덜대지만 내가 핸드폰을 켜놓으면 꼭 받기 싫은 전화만 온다.

부모는 자식이라는 꿈을 먹고 삽니다. 광수생각 타

주변 사람들에게 가끔 그런 질문을 받는다.
아이가 나중에 자라서 어떤 사람이 되었으면
좋겠느냐고! 그럴 때마다 나는 무엇을 특별히 시킬 생각은
없노라고 강조하고, 내 아이가 무엇을 하든 간에 그 일을 하면서
늘 행복해 했으면 한다고 말한다. 나는 내 자식이 훌륭한 사람이
되지 않아도 좋다. 어쩌면 훌륭한 사람이라는 그런 관념조차도
어느 누군가가 만든 것일 테니까. 하지만 행복은 다르다.
행복은 자신이 느낄 수 있는 것이다. 그래서 내 아들이나 딸이
카바레에서 제비족을 하는 게 행복하다면 그렇게
될 수 있도록 밀어줄 것이다. 그리고 평생 그냥 놀고 먹는 것이
행복하다면 그렇게 하도록 아부지로서 노력을 할 것이다.
내가 아무리 나이가 들어도, 그리고 당신이 아무리 나이가
든다 해도 우리가 생각하는 것이 진리가 아닐지도 모르는 것이기
때문이다. 아니 어쩌면 죽는 순간까지 모르고 갈 수도 있지 않을까?

저는 산꼭대기에 사는 사람입니다.

저를 만든 사람은 제가 녹을까봐 집에서 먼 이곳에다 저를 만드는 배려를 잊지 않았습니다.

저는 어느날 나를 만든이에게 제 마음을 보여주고 싶었습니다. 그래서 제 마음을 조금 떼어서 그의 집으로 굴렸습니다.

그런데 조금 떼어 그에게 굴려보냈던 제 마음은 눈과 뭉쳐져서 너무 큰 형태로 그에게 향했습니다.

결국 저는 제 의지와는 반대로 제 마음이 그를 다치게 했습니다. 그는 이제 눈사람을 만들기 위해 산을 오르지 않을 겁니다.

가끔은 아무말도 하지 않는것이 서로에게 좋습니다. 광수생각t

사람에게 자신의 마음을 전한다는 것은
결코 쉬운 일이 아니다. 설령, 온전히 마음을 보여준다고
하더라도 보여진 대로 믿지는 않기 때문이다.
우리가 서로의 마음을 완전히 알 수 있는
세상이 온다면 좋지 않은 면도 많겠지만, 적어도 오해 따위는
없을 것 같다. 그래서 사람들이 독심술을 배우려 하는 걸까?

아침에 사무실에 나가면 팩스가 그득하다.
거의 대부분이 쓸모없는 내용인지라
나는 항상 종이가 아깝다고 생각한다.

국민학교 사학년 때쯤이었다(우리 때에는 초등학교가 아니라 국민학교라고
불렀다). 그때 나는 내가 쌈을 잘한다고 생각하며 살고 있었다. 그러던 어느
날 우리 반에 어느 삐리삐리한 녀석이 내게 싫은 소리를 했다.
나는 참을 수가 없어서 수업이 끝난 후에 화장실 뒤에서 결투를 벌이자고
녀석에게 선언했다. 이상하게 국민학교 시절에는 어느 학교를 막론하고
싸움은 꼭 화장실 뒤편에서 하곤 했는데, 나도 예외가 아니어서 화장실
뒤편을 결투의 장소로 지목한 것이다. 녀석은 내가 그렇게 화낼 줄은
짐작하지 못했고, 당황한 나머지 안절부절 못하고 있었다. 나는 수업이
끝나기 이전부터 녀석을 어떻게 때려 줄까 골똘히 생각하고 있었다.
텔레비전에 중계됐던 김일 아저씨의 박치기, 여권부 아저씨의 머리 잡고
주먹으로 이마 때리기(그게 정확한 기술인지는 모르겠다) 등등을 상상하며
되도록 멋진 포즈를 연출해야지 하고 의기양양해 있었다. 운명의 시간처럼
종례시간이 다가왔고, 늘 그런 것처럼 우리는 선생님의 인솔 하에 줄을 서서
집에 갈 준비를 하고 있었다. 평소 중간쯤 줄을 서 있던 그 녀석은 도망갈
심산이었는지 맨 앞에 서서 내 눈치를 슬슬 살피고 있었다. 그런 모습을 보고
더욱 기고만장해진 나는 도망가려는 그 녀석을 억지로 잡아 기어이
화장실 뒤편으로 데리고 왔다. 싸움을 구경하기 위해서 몇몇 조무래기
녀석들이 모였고, 나는 마치 황야의 무법자처럼 천천히 가방을 내려놓은 후,
녀석에게 멋진 포즈로 달려들었다. 세상일이라는 게 늘 그렇듯이, 우리가
생각했던 것들이 모두 들어맞는 것은 아니다. 결론부터 얘기하자면 나는 녀석에게
거의 죽지 않을 만큼 맞았다. 녀석은 자신도 모르는 싸움 실력을 갖고
있었던 것이다. 겸손. 녀석에게 맞은 이후로 나는 도망가는 녀석을 절대 잡은
일이 없다.

우리들 가슴에 지직혔던 아버지의 발자욱처럼. 그 사랑도 영원할겁니다.광수생각 ⓣⓥ

나는 중학교 일학년 때까지 수유리에서 살다가 지금 살고 있는
중곡동 쪽으로 이사를 왔다. 중곡동에 사는 사람들이야 모두 알겠지만
중곡동에는 어린이 대공원이라는 큰 놀이동산이 있다.
우리는 어린이 대공원을 심심할 때마다 갔지만 단 한 번도 돈을 내고
들어간 적이 없다. 열 명의 또래 친구들을 모아 놓으면 어린이 대공원을
돈 안 내고 들어갈 수 있는 개구멍 스무 개 정도는 알아낼 수 있었기 때문이다.
그래서 우리는 늘 그 개구멍으로 어린이 대공원을 드나들었고,
돈 내고 들어가는 사람들을 굉장히 한심스런 눈으로 쳐다보곤 했다.
그렇게 얼마나 지났을까, 어린이 대공원은 대규모의 주차장 공사를 하기
시작했다. 우리가 늘상 드나들던 개구멍 근처가 주차장 공사의 주요
공사장이었고, 공사가 끝난 이후에는 완전히 달라진 구조 때문에 우리가
전에 다니던 개구멍을 찾아낼 수가 없었다. 친구들과 나중에 다시 개발하기로
하고, 우선은 대충 기억을 더듬어 예전에 드나들던 개구멍
근처의 담을 넘기로 합의를 봤다. 친구들은 각자 전문가적인 견해를
내세워 위치 파악에 나섰고, 결국 의견의 합의점을 찾아 담벼락 하나를 지목
했다. 우리는 차례로 그 담을 넘어 어린이 대공원으로 잠입하기로 했다.
내가 첫 번째 주자였다. 나는 멋진 폼으로 담을 넘었고, 발이 땅에 닿았을
때에는 묘한 쾌감마저 느꼈다. 하지만 그 쾌감은 오래 가지 못했다.
내 발이 닿은 곳은 매표소 바로 옆이었고, 놀란 눈으로 나를 쳐다보는
매표소 아저씨와 발이 굳어서 도망도 못 가는 나는 그렇게 서로를
쳐다만 보고 있었다. 그걸로 끝이었으면 좋으련만, 그 장소로 친구들은
예정대로 계속해서 넘어와 나처럼 똑같이 아저씨를 쳐다보고 몸이 굳어야만
했다. 우리는 결국 모두 생포되어 놀이동산 옆으로 끌려갔고,
놀이동산에 있는 놀이기구 '회전접시' 옆에서 그 당시 한창 유행하던
노래를 손을 들고 불러야 했다.
"안 되는 줄 알면서 왜 그랬을까?♬ 안 되는 줄 알면서 왜 그랬을까?♪"

저도 제 아들에게 결국 진실을 말해야 합니다. 광수생각 END.

조선일보사에서 전화가 왔다.

이 만화는 너무 솔직한 것 같아서 실어줄 수 없노라고.

우리는 살면서 우리가 사전에서 보는 단어가 실제 생활에서

사용되는 뜻과는 다른 경우를 종종 만나게 된다.

그럴 때마다 사는 것에 대해서 많은 생각들을 하게 되고,

적지 않은 회의를 느끼게 된다. 사전에 적힌 그 뜻대로만

살 수 있다면 참 좋은 일일 것이다.

사무실에 있는 변기형 저금통. 동전을 넣으면
똥 내려가는 소리가 무척 리얼하게 난다.
콸콸콸콸~

나는 자유자재로 똥을 싼다.
아침에 일어나 화장실에 가서 앉으면, 별 어려움 없이
똥을 쌀 수가 있고, 그다지 똥이 마렵지 않은 상태이더라도
책을 들고 화장실에 가면 언제라도 잘 싸곤 한다.
그래서 나는 변비 걸린 사람들을 이해하지 못한다.
그들이 괴로워하는 모습을 보면, 똑같은 사람인데
똥을 누는 게 그렇게 힘든가에 대해서
다시금 생각할 때가 있지만, 나는 한 번도 그런 상황을
맞이해 본 적이 없기 때문에 결코 이해하지 못할 것이다.
사람은 언제나 그 상황이 되어야만 그 사람을 이해할 수 있는 법이다.
한번 시간을 내서 코르크 마개로 똥꼬녁을 막고
이틀 간 지내 볼까? 그럼, 그들을 이해할 수 있게 될까?

나는 별 이유없이 똥이란 캐릭터를 굉장히 좋아한다.
그래서 일본에 여행 갔을 때 우에노 앞에 있는 조그만 시장에서
이 물건을 발견하고는 눈물을 흘리면서 다섯 개나 구입했다.
지금은 한 개밖에 남아 있지 않은데, 없어진 네 개는 내 작업실을
방문한 네 명의 사람들이 눈물을 흘리며 집어갔다.

대부분 사람들이 고등학교 때까지만 도시락을 싸가지고 다니는 것 같다.
물론 회사에 다니면서 도시락을 싸가지고 다니는 사람들도 있긴 하지만,
거의 대부분 '도시락' 하면 중·고등학교 시절을 떠올릴 것이다.
우리는 남자만 넷인 사형제이다. 두 살, 두 살, 여섯 살, 그렇게 차이가
나기 때문에 우리 어머니는 거의 이십여 년 동안 도시락을 싸야만 했다.
그러다 보니 아들 도시락에 대해 특별한 애정 같은 게 있을 수가 없었다.
물론 우리 어머니의 음식 솜씨가 예술이긴 했지만, 중학교 삼 년,
고등학교 삼 년, 이렇게 육년이란 세월 동안 점심시간마다 멸치볶음
과 김치 그리고 간간이 오뎅볶음만을 먹는다는 것이
쉬운 일은 아니었다. 매일매일 똑같은 반찬이었지만, 다행히 어머니의
음식 솜씨가 훌륭했던 덕분에 언제나 친구들에게 인기가 높았다. 그래서
나는 친구들과 반찬을 자주 바꿔 먹곤 했는데, 몇몇 치사한 녀석 중에는
장조림같이 맛있는 반찬들은 밥 밑에다 깔고 오는 녀석
들이 종종 있었다. 그때 나는 그 녀석이 굉장히 치사하다고 생각했지만,
돌이켜보면 도시락이야 그 녀석이 싸는 게 아니고, 그 녀석의 엄마가
싸주는 것이니 그 녀석이 치사한 게 아니고, 그 녀석의 엄마가 치사한
것인지도 모르겠다는 생각이 든다. 밥은 많은 사람들이 모여서 먹어야
맛이 있다. 반찬도 나누어 먹고, 담소도 나누면서 먹어야 밥을 맛있게
먹을 수 있는 것 같다. 서로 나눈다는 것은 언제나 기분 좋은 일이다.
살면서 다시는 밥 밑에 장조림을 깔고 나타나는 녀석이 없었으면 좋겠다.
장조림을 밥 밑에 깔아 주는 엄마도 없었으면 좋겠다.

다친 마음을 보상해 주는 보험은 왜 없습니까?광수생각 EV

다친 마음은 시간이 지나면 아문다고 생각했다. 하지만 시간이 지날수록 그 생각은 점점 희미해진다. 나의 상처들 중 아무는 상처는 아주 작은 상처일 뿐이고, 내게 남은 큰 상처들은 결코 시간이 지나도 아물지 않는다. 어떤 상처들은 시간이 지나면 지날수록 더 커지고, 나를 더 괴롭히기도 한다. 다친 마음을 보상해 주려 해도 보상해 줄 수 없는 경우가 있다. 그래서 나는 살면서 상대방의 마음이 다치지 않도록 최대한 노력하고 싶다.

뻘리부부는 열심히 돈을 벌어 자신들의 집을 마련하게 됬다.

전세 안녕!

우리집 만세!

아주머니 그동안 감사했습니다.

그래. 축하하네! 이사 오기 전처럼만 해놓고 가게…

아니, 여보 왜 울어요?

아주머니가 이사 오기전처럼 해 놓고 가라는데, 어떻게 그 많은 바퀴벌레를 잡아와…

이전의 것이 언제나 좋은건 아닙니다. 광수생각. EV

나는 바퀴벌레와 인연이 많다.

예전에 우리 아부지 집에는 바퀴벌레가 참으로 많이 살았는데,

어떻게 생각해 보면 바퀴벌레가 우리집에 사는 게 아니고,

우리가 바퀴벌레 집에 얹혀 산다고 느껴질 정도였으니까 말이다.

새벽에 목이 말라 주방에 있는 냉장고에 갈 때에도, 바퀴벌레를

세 마리쯤은 밟은 후에야 냉장고까지 도달할 수 있었다.

그 인연은 우리 아부지 집에서만 끝난 게 아니다.

한 번은 햄버거를 먹는데 씹히는 느낌이 전과 좀 달랐다.

나는 그것을 양배추 씹히는 느낌이라고 생각했는데, 무언가

툭툭 터지는 게 분명 전에 씹던 양배추와는 다른 느낌이었다.

그래서 나는 먹던 햄버거를 입에서 떼었는데, 햄버거에는 몸의 반밖에

남지 않은 바퀴벌레가 발을 버들버들 떨고 있었다.

그때 이후로 나는 다시는 햄버거를 먹지 않을 것 같았지만, 요즘 다시

햄버거를 먹기 시작했다. 대신, 햄버거를 열어서 바퀴벌레가 있나

없나 확인하고 먹는다. 뭘 먹는 게 늘상 이렇게 힘들다면,

나는 삐삐일 텐데...

사무실에서 여름에 신었던 슬리퍼이다.
이걸 신고 화장실에 갔다 오면 꼭 발등에 무언가가 튄다.
그럼 난 철영이에게 발장난을 건다.

사람들에게 무시당하지 않으려면 늘 공부를 해야 합니다. 광수생각 EN

내가 만화를 그리고, 텔레비전에 출연을 해서 좋은 일은
단 한 가지밖에 없다. 이젠 무시당하는 일이 없다는 것이다.
지금도 프리랜서이고 예전에도 프리랜서였지만 상황은 많이 바뀌었다.
한 예로, 미국 비자를 들 수 있는데 나는 스물 여섯 살 때 결혼을 하면서
하와이에 가기 위해 비자 신청을 한 적이 있었다. 그때 나는 학생이었고
집사람은 회사원이었음에도, 우리는 직업이 없다는 이유로 비자 신청을
거부당했다. 그 이후 미국 비자를 받는다는 것은 내게 마치 하늘의
별 따기처럼 느껴졌고, 오랜 시간 시도하지도 않았었다.
하지만 최근 미국에 가야 할 일이 생겼고, 나는 다시 용기를 내서
비자 신청을 내게 되었다. 미국 비자를 내본 사람은 알겠지만 인터뷰를
하는 경우에는 대사관 내에서 번호표를 받고
한 시간을 기다려서 인터뷰를 하게 된다. 전에 인터뷰를 했을 때는
더 오랜 시간을 기다렸고, 한 시간 정도 기다리는 것도 굉장히 좋아진
것이었다. 나는 인내심을 갖고 오랜 시간을 기다렸고, 다행히 비자 심사를
하는 미국인이 나를 알아봐서 별 어려움 없이 비자를 받을 수 있었다.
'위아더월드' 라는데 내가 가고 싶은 나라를 왜 허락받고 가야 하는지
도무지 모르겠다. 그래서 제2의 건국이 필요하고, 국력이 필요한 건지도
모르겠다. "우리나라 화이팅!!"

아니!

1998년
뿌리일보
뿌리추동 체인점모집

이 이럴수가..

국회의원중 반은
사기꾼임 특종!

위 사진은 기사와
관련없음

여보슈,어떨 그런 기사를 함부로 쓰는거요. 빨리 정정기사를 내지 않으면 가만히 있지 않겠소!

아, 예…
죄송합니다.
바로 정정기사
내겠습니다.

어휴~안 볼려 고 했는데, 보네.. 빨리 정정기사를 쓰자..

다음날.

. . . . .

알고보니 국회의원중
반은 사기꾼이 아님!

제보자

98년에는 절대 사기치며 살지 않겠습니다.광수생각, 타냐

뉴스에 내가 예비군 훈련을 안 가서
구속영장이 청구됐다는 내용이 나왔다.
처음 그러한 얘기가 나왔을 때 나는 그 내용을
볼 수 없었고, 내 주변 사람들 사이에서 이야기가
부풀려지기 시작했다.
처음에는 구속영장이 청구됐다는 내용이, 구속이
됐다는 식으로 얘기가 발전했고, 그 후에는 이미
감방에 가 있다는 얘기까지 돌기 시작했다.
급기야 조선일보에서는 아는 사람을 통해서
'사식을 뭘로 넣어 주느냐'에 까지 이르렀고,
결국은 사식 대신 '맥킨토시' 컴퓨터를
넣어 주자는 쪽으로 결론이 났다고 한다.

얼마 전 TV에서 유치원 어린이들에게 "천사는 무얼 먹고 살까요?"
라는 질문에 예쁘게 생긴 여자 아이가 손을 들며 '바람이요' 라고
너무나 귀엽게 대답한 것을 보았다. 근데 그 옆에 있던 무지막지하게
생긴 남자녀석은 가소롭다는 듯 손을 들며 외쳤다. "공기밥이요!"

자, 여러분 오늘은 신나는 성경 공부 하는 날이예요. 아담과 이브를 아시나요? 둘은 하느님이 창조하신 최초의 인간이랍니다. 그리고 그들이 바로 우리들의 조상이기도 하고요...

어? 선생님... 우리 아빠가 그러는데 우리 조상은 원숭이라고 하던데요?

...

...

야야, 집안 얘기는 이 시간이 끝난뒤에 하도록 해라!

...

조상까지는 몰라도, 친척들은 잘 알고 지내십니까? 광수생각 타임

내조상은박혁거세이다.
박혁거세는알에서태어났다.
그사실은알만한놈들은다안다.

제가제일 좋아하는 건 사탕이에요. 하나 드릴까요?

데가 데일 조아하느 건 사타이에요. 하나 드디까오?

먼저 밝히겠다. 박광수에 대해 쓰는 것은 내가 매달 PAPER 편집장을 광폭 3단 변신시키면서까지 간들간들하게 막는 원고들보다, 별외로 주물럭거리는 카피작업보다, 타 잡지와 사보에서 의뢰해 온 외고보다, 그 작성의 어려움이 실로 대단하다는 것이다. "네 원고 때문에 책 인쇄를 못하고 있다" 내 원고가 안 넘어와서 〈광수생각 2〉를 펴내기로 한 인쇄소의 윤전기가 안 돌아간다는, 극약처방의 말은 형이 자주 일삼는 사기의 일종이 아니었다. 광수형의 분노는 이미 예비군 훈련장을 뛰어 넘어갔지만, 나는 이를 갈고 있는 박광수 고양이를 애써 외면하며 사방이 막힌 방에서 쥐처럼 웅크리고 이 글을 쓴다. 더 이상 에누리는 없다. 이는 재주를 잘 못 넘는 곰의 비애와도 같고, 오월이가 비빔밥에 물 말아먹는 속사정과도 같은 것이다. 여하튼 오백 번쯤 찍어도 안 넘어 올 것 같은 사람에게 고백의 편지를 작성하는 것과 같은 막급한 망설임으로 나는 쓰기 시작한다.

나는 광수형을 좋아하는 만큼 광수형을 지켜위하는 사람이다. 그래서 광수형이 패널로 나가는 TV 프로와 라디오 프로 및 각종 잡지 및 신문에서 득달스럽게 다루는 인터뷰 등을 거의 보지 않는 편이다. 그 이유는 별 게 아니다. 매체들의 속성을 얼마간 간파하고 있기 때문이다. 그 얄팍하고 조야한 속성을... 그럼에도 불구하고 그는 왜 그 시스템 안에서 허덕이고 있는 것일까? 이젠 그런 물음조차도 갖지 않는다. 그가 어떻게 하든, 그건 명백히 그의 영역이기 때문이다. 그래서 내가 광수형과 친하다는 소문을 듣거나, 대판 싸웠다는 소문을 들은 사람들이 나를 찾아와 구구절절 광수 형에 대해 읊어대는 칭찬과 불충스런 말들도 이참에 고백하자면 관심이 없다. 그에 대해서만큼은 나의 영역 안에서 소화되는 그만큼만을 갈취할 뿐이다.

그의 만화 및 일러스트의 첫 발자국이 이브라는 잡지에서부터 시작됐다는 것, 그 이후 PAPER에서 연재했던 〈광수만가〉, 조선일보의 〈광수생각〉과 함께 휘몰아치기 시작했던 일련의 광수 돌풍을 새삼 다시 내가 꺼내서 무엇하랴, 이미 모두 다 아는 사실인 것을... 여하간 표절 시비에도 불구하고 박광수의 인기는 특별하게 식지 않고 있다. 하지만 인기란, 영생불사하지 않는 법. 그는 그 이치를 이미 알고 있을지도 모른다. 사람은 앞뒷면만 있는 종이짝처럼 이차원이 아닌 입면체이다. 그러므로 그를 관람하는 각도도 다양화시킬 필요가 있다. 선량하고 바보같이 마음 약한 박광수를 보면, 돈도 안 되는 방송 출연 섭외(출연해 놓고 왜 저런 프로에 출연했나 욕만 먹는)를 다 받아들이고, 몇몇 구호 단체에서 의뢰한 디자인 작업들을 힘껏 돕는지에 대해 조금은 이해할 수 있다. 반대 방향에서 보자. 그의 만화가 뜨면서 그의 작업실과 개인 전화로 수신되는 수만 가지의 일거리들은 그 숨통을 죄는 그물이었다. 그는 이런 상황을 약삭 빠르게 면피해 본다는 모션으로 잠적을 도모하거나 거액의 디자인, 일러스트비를 제시하곤 했는데, 결국 그에게 남겨진 것은 '떴다고, 배때기에 기름 좀 꼈다고, 거만을 떠는구'이라는 원성들뿐이었다. 이런 부분만 있느냐, 또 한 부분의 박광수를 보자. 그는 아직도 약속을 어기는 데 타의 추종을 불허할 뿐만 아니라, 이러저러한 돈방석 안건들을 팽개치고 친한 지우들과 함께 맘을 잴잴 흘리며 정기적으로 운동을 하는 남자인 데다, 그의 아내 몰래 양질의 포르노 비디오를 지속적으로 빌려 보는 동시에, 어떻게 하면 하나뿐인 아들과 또 하나뿐인 딸에게 그럴 듯한 아버지가 될까, 고민하는 그런 평범무쌍한 아버지일 것이다. 이렇게 그는 여러 가지 국면과 맞닿아 있는 사나이다. 그럼 나와 맞닿아 있는 국면을 좀 읊어 볼까?

그가 〈광수생각〉으로 뜨기 바로 직전의 일이다. 한 출판사 사장님의 비호 아래, 출판 기획팀을 만든 적이 있었다. 침체된 출판계에 용의 대가리처럼 여의주를 물고 있는(내용도 좋고, 디자인도 좋고, 잘 팔리는) 좋은 책들을 만들고자 규합된 이 팀에는 광수형과 뱀의 꼬리 같은 나, 그리고 몇몇의 화상들이 함께 참여했다. 각자 본업이 있었던 우리들은 일주일에 한두 번 만나, 진척 상황을 체크하고 해야 할 일들을 분배하곤 했다. 10권 남짓한 책들이 기획되고, 일이 진행되는 가운데, 뜨기 시작하자 몰려드는 일에 익사 상태에 이른 박광수와 예민하지만 게으른 나 사이에 트러블이 생겼고, 급기야 서로의 가슴에 콩크리트 못을 박은 후 기획팀의 판을 엎어버렸다. 그게 일 년 전의 일이다.

푸하하하~

이후로 박광수와 나의 관계는 급속 냉각되기 시작했다. 모 가전사의 냉장고 CF에 출연해도 될 만큼 우리는 로 싸웠다. 우리의 소 닭 보듯한 관계를 눈치 챈 몇몇 어른들이 진지한 마음으로 충고를 했지만 그 는 번번히 우리의 마음에서 기각됐다. 지금 생각해 보니 그에게 썼던 단 한 통의 편지가 기억난다. 나는 그에 심으로 화해를 기원하는 편지를 트러블 직후 퀵서비스로 보낸 적이 있었다. 박광수가 그렇게 좋아했던 시인 승의 절판된 시집 〈아름다운 페인〉을 동봉한 채... 그러나 그에게선 아무런 응답이 없었다. 나보다 한 살이나 먹은, 그래서 밥도 1000그릇쯤 더 잡수신 형이라는 작자가 동생의 반성 모션에 코방귀도 안 뀌다니, 심이 상했다. 속으로 그의 밴댕이 속을 조롱하며 미워했으며, 그 상황의 주범이자, 공범이었던 내 자신을 는 일 또한 괴롭기 그지없었다. 그렇게 소가 닭 보듯 요원하게 몇 달을 보내는 사이, 나는 몸을 크게 앓았다. 에도 기이하고 리얼한 꿈속에서 세상의 나머지를 헤매는 나는, 그때 몸을 앓았던 크기가 유별나서인지, 매일 악몽에 시달렸다. 그러던 어느 날, 꿈의 한 조각에 박광수가 등장했다. "자, 술 한잔 받아, 모든 것을 . 좋은 일만 생각하며 살기에도 삶은 너무 짧잖아." 거나하게 취한 그가 나에게 술잔을 건네며 내 머리를 들어 주자, 나는 괜스레 코끝이 징~해져 그가 주는 술을 모두 받아 마셨다.

이 되어 눈을 뜨자, 오랜만에 박광수 화상이 보고 싶어졌다. 잘살고 있는지... 그가 PAPER 후기에 '정유희도 그림을 사주면 사이가 좋아질지도 모른다' 고 화해의 귀띔을 해주었던 일도 그 꿈이 내 잠 속에 감광됐던 방의 일이었다. 그 후 얼마 지나지 않아 그가 신뽀리 캐릭터를 액자에 넣어 사람들에게 판 금액 전액을 원 아이들이 먹을 쌀과 장난감으로 바꾸어 기증했다는 소식을 접했다. 나는 그 그림을 사지 못했지만 로 가열차게 박수를 보냈다. 그렇게 온 국민의 욕과 환호를 한몸에 받는 '뜬 놈' 이 되었어도 그는 선험적으로 에 품고 있었던 일들을 묵묵히 해내고 있었던 것이다.

박광수의 만화 중에 가장 좋아하는 만화는 졸부에 관한 만화와, 김영승의 시를 패러디한 만화이다. 졸부에 관한 만화에 나왔던 멘트를 그대로 옮겨 싣는다. 〈당신은 졸부입니다. 당신은 쉽게 돈을 벌었습니다. 당신은 돈 모으는 것에 약간 싫증을 느낍니다. 그래서 당신은 주변 사람들에게 과시하기 위하여 1년에 한 번 원에 방문해 사진을 찍고 옵니다. 이제 봄입니다. 주변 사람들은 당신을 욕합니다. 하지만 당신, 이 봄에 이나 양로원 그 어느 곳이나 한 번 들러 주십시오. 사진이든, 뭐든 하고픈 대로 하시고요. 누가 당신을 라도 1년에 한 번은 꼭 들러 주세요. 여하간 욕만 해대며 평생 고아원이나 양로원을 한 번도 찾지 않는 보다는 훌륭합니다. 당신은 졸부입니다. 우리는 바보입니다.〉

그에게 바라는 건 그가 떼돈을 벌어서 40대 이후에 일을 놓고, 가족들과 희희낙낙하고자 하는 그 야물딱진 이 이루어지길 바라는 것이 아니다. 또한 그의 만화가 시대의 변화에도 굴하지 않고 정력적으로 살아남아 들을 감동시키는 것도 아니다. 다만, 늘 잔대가리를 굴리다 큰 대가리에 걸려 넘어지더라도 눌변을 으며 꿋꿋이 다시 일어나 앞으로 걷기를... 앞으로도 지금만큼 소외되어 있는 것들에 힘을 보태는 그런 으로 살아가기를... 그리고 때때로 소박한 술 한잔 건넬 수 있는 나의 형으로 남아 주기를...

야 할 말은 구만 리나 남았는데, 지면이 얼마 안 남아서 이제 마칠까 한다. 뭐라고 썼는지 훑어 보니, 프랑케 인의 얼굴처럼 얼기 설기 참 한심하다. 여하간 광수형, 나 쓰긴 쓴 거다. 형도 곧 출간될 내 책에 원고지 20매 써 줘야 해! 그리고 이참에 부탁하나 하는데, 김영승의 〈아름다운 페인〉 나 다시 돌려 주면 안 될까? 판돼서 정말 어디서도 찾을 수 없다구. 줘 놓고 도로 뺏는 게 어됐냐구? 샤발 나는 그런 년이야!

정유희 (PAPER 기자)

※ 많이 쓰지 말아 달라는 부탁에도 불구하고, 그녀는 식탁 위에 밥상을 차리듯 지면을 꽉 채우고도 남는 양의 글을 보내 왔습니다.
수 없이 이 페이지만 글의 크기를 줄였습니다. 혹 읽으시다 피곤하시더라도 좋은 글을 보내 준 정유희 양의 정성을 생각해 너그러이 용서해 주시기 바랍니다. (편집자 주)

9남4녀. 어느 녀석도 미운 녀석이 없습니다. 공주생각 E냐

나는 애가 둘이다.

첫애를 낳을 때 내 아내는 병원에서 진통만 삼 일을 했다. 결국 고생이란 고생은 다하고 수술을 해서 큰애인 상준이를 낳았고, 집사람의 고생은 이루 말할 수도 없었거니와 삼 일 동안 분만실 앞에서 초조하게 기다린 나의 고생도 이만저만이 아니었다. 게다가 나는 담배도 피우지 않기 때문에, 초조함을 달랠 만한 것은 분만실 앞에 보호자들 보라고 틀어놓은 텔레비전뿐이었다. 처음 병원에 들어섰을 때 나는 세상 누구보다도 경건한 마음으로 아이를 기다렸다. 대체로 예닐곱 시간이 걸린다는 사전 지식이 있었던 나는 서너 시간이 지날 때까지는 처음 들어설 때의 경건한 마음을 유지할 수 있었다. 그러나 여섯 시간이 넘어가면서부터는 쓸데없이 화장실 가는 횟수가 잦아지기 시작했고, 결국 하루 해를 넘겼을 때는 집사람의 고생은 생각지도 않고 오만 가지 짜증이 겹쳐 있었다. 인상을 쓰고 있다가도 장모님이나 처제가 나타나면 다시 이쁜 얼굴을 지어 보였고, 아무도 없을 때에는 다시 온갖 인상을 쓰고 있었다. 그러기를 이틀 반, 기다림에 지친 나는 장모님이 오셨을 때 집에 가서 좀 씻고 오겠노라고 말한 다음에 모든 걱정을 뒤로 한 채 휘파람을 불면서 집으로 향했다. 집에 도착해서 샤워를 한 후 나는 간편한 옷차림을 하고는 침대에 잠시 누웠다. 그때였다. 침대 바로 옆에 있는 전화 벨 소리가 요란하게 울렸다. 전화 건 사람은 우리 엄마였다. 내가 잠시 집으로 샤워를 하러 온 사이에 엄마는 병원에 오셨고, 또 그 사이에 집사람은 수술을 해서 큰 아들 상준이를 낳아버린 것이다. 내가 없어진 그 짧은 순간에 집사람은 스스로 수술 동의서에 사인을 했고, 애도 낳아버린 것이었다. 허겁지겁 도착한 나는 장모님과 처제로부터 따가운 눈총을 받았고, 엄마에게 화장실 뒤편으로 끌려가 등짝을 되게 아프게 맞았다.

정말, 기다리는 사람에게 복이 있는 것이다.

미팅을 나갔다. 애석하게도 모두 폭탄이었다.

그때였다. 갑자기 신뽀리가 한 여자의 머리로 손을 가져갔다.

여자는 자신이 선택당한것에 기분이 매우 좋았다.

승리의 브이..

그런데 신뽀리는 그녀의 머리카락 한올을 뽑았다.

뽁!

?

그리고 커피숍을 뒤쳐 나가며 외쳤다.

야, 폭탄 터진다! 다들 피해 버!

자신이 폭탄이라는 생각은 못하고 삽니다. 광수생각 ㅌ빠

나는 이 만화에 대해서 할말이 아주 많다.

이 만화는 조선일보에 실리지 못했다.

이유는 이 만화가 나갈 경우,

여성 단체로부터 감당 못할 항의를 받을 것이라는

조선일보 측의 생각 때문이었다. 그러나 이 만화는 결국

똑같은 내용으로 나가고야 말았다.

달라진 것이 있다면 여자가 남자로 바뀌고, 남자가 여자로 바뀌었다는

사실이다. 그렇다면 여성들은 여성을 폄하한 것에 대해 항의를 하고,

남성들은 남성을 폄하한 것에 대해 기분 좋게 받아들인다는 것인가?

왜, 도대체, 무엇 때문에 남성 단체는 없는 것인가?

나는 남성 단체를 만들고 싶다.

그것이 어렵다면 계라도 들고 싶다.

킴스클럽에서 이천팔백 원 주고 구입한 방향제이다.
내 컴퓨터 위에서 늘 좋은 냄새를 풍긴다.

나 극장

...

여보,
잘 보여?

네. 아주
잘 보여요..

그 쪽에
혹시, 찬바람
들어오지 않아?

의자도
편하고..?

예. 의자도
편하고 바람도
안들어와요..

그래, 그럼
나랑 자리
바꾸어!

나 극장

픽

흑..

오늘은 집사람과 영화를 보러 가겠습니다. 광수생각. 타니

난 영화 보는 것을 굉장히 좋아한다.

그리고 아직도 내 꿈은 영화감독이 되는 것이다.

지금은 예전에 비해 많이 바빠져, 영화관에 갈 만한 시간을

낸다는 것이 참 어려워졌다.

그래서 아주 '특별한 날' 외에는 영화관에 잘 가지 못하는 편이다.

가끔 친구 영복이와 집사람까지 해서 영화를 보러 가곤 하지만,

영화가 조금이라도 재미없으면 나는 금세 잠이 들어버린다.

최근에 나는 집 근처에 있는 '강변11' 이라는 극장엘 갔고,

그 극장에서 이미숙과 이정재가 주연한 '정사' 라는 영화를 보게 됐다.

원래는 '라이언 일병 구하기' 를 보려고 노력했지만, 영복이 처와 희정이의

강권으로 정사를 보게 됐고, 극장을 찾기 전 신나는 것을 기대한 나로서는

또 영화가 시작되자마자 졸립기 시작했다. '강변11' 이라는 극장의

좋은 점은 팔걸이를 뒤로 제쳐버릴 수 있다는 데 있다. 나는 영화가

시작한 지 십 분도 안 돼서 내 주변의 좌석들의 팔걸이를 모두 올리고

누워서 편하게 잠을 청하기 시작했다. 얼마나 잤을까,

나는 내가 흘린 땀 때문에 잠에서 깨어나게 됐다. 비교적 앞에 앉은 편이라

내가 벌떡 일어나면 뒤에 앉아 있는 사람들이 놀랄까 봐, 조용히 눈만 떴는데,

그 기분이 아주 묘했다. 내 눈에는 내 앞좌석의 의자 등받이와 내가

누워 있는 의자 앞면이 보였고, 저 위로 천장이 보였다. 고정돼 있는

사물 속에 영화의 화면이 바뀔 때마다 천장의 빛깔과 의자의 빛깔만이

조금씩 변하며 대사가 들려왔다. "사랑한다는 말을 왜 못하죠? 왜 당신은

사랑하는 사람한테, 사랑하면서 사랑한다는 말을 못하고 사는 건가요?"

나는 영화의 화면을 보고 있지는 않았지만 이상하게 기분이 좋았다.

나는 깨어 있었지만, 천장으로 비치는 불빛과 배우들이

이야기하는 대사만을 들으며 영화가 끝날 때까지 누워 있었다. 이색적인

영화 감상이었지만 배우의 말을 이해하는 데 화면에 눈을 파는 것보다 더

깊숙이 내게 전달돼 왔다. 가끔 그 사람에게서 눈을 떼고 이야기를 듣는 것도

괜찮은 일이라는 생각이 드는 밤이었다.

KA~센타

....

꺽..

허억!

아니, 이건 정말
터무니없이 비싸군요.
불과 몇분 일한 대가로
의사인 나보다 더
많은 돈을 요구하다니..

나
정비공..

13.500W

의사 선생님, 하지만 이걸 아셔야죠.
선생님께서야 늘 똑같은 기계를
만지지만 우리야 어디 그렇습니까?
해마다 새로운 모델이 쏟아져 나오기
때문에 그때마다 완전히 새로
배워야 한다구요..

나참..

요즘은 차를 머리에 이고 다닙니다. 광수생각. 타

할말없군,
받으슈..

...

나는 수요일 10시 10분부터 10시 40분까지, 약 30분 정도
유열 씨와 '유열의 음악앨범' 에서 '광수생각' 이라는
고정 코너를 진행하고 있었는데, 그중 이런 사연이 있었다. 그에게는
자신이 처음 구입하면서부터 열심히 닦고, 매일매일 기름 치고
자신의 몸보다 더 아끼던 자동차가 있었다고 한다. 그러던 어느 날,
그 모습을 누가 시기했던지 그새 자동차 옆면을 못으로
아주 길고 깊숙한 상처를 냈는데, 그 이후로는 편한
마음으로 자동차를 타고 있다는 사연이었다. 그 사연을 나와 같이
진행하는 유열 씨가 읽었고, 유열 씨는 오히려 자동차에 상처난 것이
훨씬 더 좋은 일이라고 말했다. 하지만 나는 그 말에 반박했다.
나도 자동차를 가지고 있는 사람이지만, 나는 자동차가 조금이라도
흠집이 나면 바로 가서 고치는 타입이라 그 말에 수긍할 수가 없었다.
내 생각에는 인간 관계도 마찬가지라고 생각한다.
비 오는 날 새옷 입고 조심조심 다니다가 옷에 흙탕물이 튀면
'에라, 모르겠다' 라는 식의 생각이 나는 싫은 것이다. 흠집 난 부분은
열심히 메우고, 요즘 한창 광고에서 떠드는 것처럼, 늘 처음처럼만
한다면 얼마나 좋을까 하는 생각이 든다. 흠집이 나서
편해진다는 것은 편한 것이 아니라, 신경을 안 쓴다는 것
일 게다. 나는 내 차와 내 사람들에게 언제나 신경 쓰면서 살고 싶다.
비록 매일매일 정비소에 가는 것이 귀찮을지라도...

저는 조금의 고문도 못이기고 실토합니다. 당신을 사랑한다고... 광수생각.E네

나는유부남이다.
그래서매일매일심문을받는다.
그래도나는아들하나,딸하나에
유부남이좋다.

결혼식 며칠 전날, 신혼여행 때 쓰기 위해서 울 엄마한테 억지를 써서
뜯어낸 가방이다. 완전 가죽이라 굉장히 가격이 비쌌으며 지금도 내가
가장 애착을 갖고 있는 전통있는 가방이다. 요즘에는 컴퓨터에 쓰는
외장 하드란 것을 넣고 다니는 데 주로 사용한다.

아저씨 생리대 하나 주세요!

삐리리요...

엄마 심부름이니?

아니요...

그럼 누나 심부름이니?

아니에요, 우리가 필요해서 사려는 거라구요!

거 말 많네...

니들이 이걸 어디다 쓰게?

난다.. 생리대

텔레비젼에서 그러는데 그것만 있으면 수영도 할 수 있고, 테니스도 할 수 있고, 등산도 할 수 있다고 해서요..

야구도..

...

당신을 자유롭게 하는 것은 무엇입니까?광수생각.EN

나는 정말 생리대가 필요하다.

그것만 있으면 수영도 할 수 있고,

테니스도 할 수 있고, 등산도 할 수 있다니,

나는 정말 생리대가 꼭 필요한 사람이다.

그래서 그런 생리대를 파는 약국이 있다면,

지금이라도 당장 달려가 사고 싶은 것이 나의 심정이다.

하지만 약국 아저씨는 나에게, 내가 필요한 것은 생리대가 아니라

시간이라고 말씀하실 것도 뻔히 알고 있다.

내게 필요한 것은 생리대가 아니고, 시간이다.

영어로 타임.

이건 덤이야~

고기가 약간 이상한데…?

여보, 웨이터 이 고기가 얼마나 된거요…?

잘모르겠습니다. 제가 근무한지 6개월 밖에 안돼서요…

근무한지 얼마나 되어야 다 알게 됩니까?ㄴㅏㄷ.

목욕요금

술취한사람 3000원. 거지 4000원
1년에 한번 오는 사람 5000원
정치인 7000원

ㅡ 주인백

나
정치인...

여보슈. 왜 우리
정치인이 제일
비싼 거유?

까딱

이것보슈! 정치인을 깨끗하게
하는데 얼마나 많은 물이 들어가는지
아는거요?

....

당신 스스로를 깨끗이 하는데는 얼마나 듭니까? 광수생각EN

결혼 이후에는 아부지와 목욕탕을 자주 가지 않게 됐다.

원래 목욕을 자주 하지 않는 탓도 있지만, 이상하게도 결혼 이후에는 목욕탕을 간다는 사실이 굉장히 쑥스럽게 느껴졌기 때문이다. 결혼 전에는 일요일 아침마다 아부지 손에 이끌려 억지로 목욕탕에 꼭 가야만 했다. 간신히 피하는 날도 있지만 적어도 일주일에 한 번 아부지를 따라 목욕탕에 가서 때밀이 아저씨에게 때를 밀어야 했다. 아부지도 나처럼 약간(?) 뚱뚱한 편이라 자신의 몸에 있는 때를 미는 것을 귀찮아할 뿐만 아니라, 남의 몸을 미는 것은 있을 수 없는 일이라 여기는 편이다. 그래서 우리 부자는 때밀이 아저씨에게 때를 밀어 달라고 몸을 맡기는 일이 많다. 아부지는 내가 때를 밀 때 잠시 딴 곳에 가 계시다, 때 민 것이 절정에 이르렀을 때쯤 와서 꼭 한마디 하신다. "어휴, 이 녀석 때 좀 봐! 때가 꼭 송충이만하네. 이러다간 하수구 구멍이 막히겠는 걸?" 그렇게 큰소리로 말씀하시며 허허 웃으시곤 다시 당신의 자리로 사라져버리신다. 우리 동네 목욕탕은 조용한 편이라 아부지의 그런 말씀은 굉장히 크게 들리고, 사람들은 소리 내어 웃지는 않지만 얼굴에 웃음을 가득 머금은 채 이상한 눈으로 내 때를 한 번씩은 살피곤 한다. 그럼 나는 때밀이 아저씨 앞에 누워서 몸둘 바를 몰라한다. 사람은 늘 때를 알아야 한다. 그래서 때를 제때 제때 밀고 남들 앞에서 때 때문에 창피당하는 일이 없어야 할 것이다. 마음의 때도 말이다.

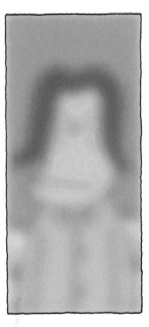

제가 누군지 알겠습니까…?

나 의사

의・의사 선생님..

혁・혁・

이제 정신이 드시는 군요! 고비였는데 당신의 체력이 어느정도 였기에 망정이지, 정말 큰일 날뻔 하셨습니다..

. . . .

선생님, 제 치료비 청구서를 쓰실때 그 점을 감안해 주십시오.

의사 선생님, 친절한 것을 바라지 않겠습니다. 그저 자세히 설명해 주세요. 광수생각 EN

나는 여드름이 많이 나는 편이다.
이제 몇 달만 있으면 서른 하나인데
여전히 고등학생처럼 여드름 때문에 고민을 한다.
한때 내 별명이 _'식인종 톡톡'_ 이었으니 나의
여드름에 대한 고민이 어느 정도인지는 짐작할 수 있을 것이다.
'식인종 톡톡' 이라는 별명이 붙게 된 연유는 내게 그 별명이
붙을 당시에 입 안에 넣으면 입 안에서 '톡톡' 터지는 사탕이
유행하고 있었기 때문이다. 그래서 내 주변 사람들은 식인종이 나를
먹으면 내 얼굴에 난 여드름 때문에 식인종 입 안에서 '톡톡'
터질 거라고 해서 그런 끔찍스러운 별명을 붙여준 것이었다.
나는 수치스러운 마음에 당시 한창 _효과가 좋다고 소문 난_
약들은 죄다 써보고, 병원도 수많은 곳을 전전하였으나
별로 효과가 없었다. 그래서 나는 결국 이대로 살아가기로
마음먹기에 이르렀다. 좋은 점이 한 가지 있다면 혹시,
내가 비행기를 타고 가다 비행기가 식인종 마을로 떨어진다면
식인종이 나만 안 잡아 먹지 않을까 하는 그런 기대감이다.
나는 '식인종 톡톡' 이다.

내겐 없어서는 안될 소중한 열쇠 꾸러미.
이 열쇠 고리는 우리 정인이 백일날 찍은 사진이
달려 있어서 더더욱 소중하다. 정인이 뒤로
있는 상준이의 모습이 늠름하다.

어느 텔레비전 프로그램에서
박찬호의 군대 문제에 관해서 토론을 벌인 적이
있었다. 그때 토론 내용은 '박찬호를 군대에 보내느냐, 마느냐
였는데, 보내지 말자는 쪽은, '박찬호는 백 명의 대사관보다 낫다'
며 보내서는 안 된다고 힘주어 말하고 있었다. 보내야 한다는 쪽은
'형평성의 원칙' 을 들어서 꼭 가야 한다고 했고, 방청객으로 나온
한 여학생은 '자신의 남자 친구도 군대에 갔으니 박찬호도 가야 한다' 는
이상한 논리를 펴기도 했다. 우리는 군대에 가기 위해서
신체 검사를 받는다. 몸무게를 재고, 키를 재고, 검사관에게
똥꼬를 보여주면서 치질은 있는지 없는지, 정신적인
이상은 있는지 없는지 등 여러 가지 검사를 받는다(나는 평발이라
18개월 방위를 갔다왔다). 박찬호도 검사를 받았으면 좋겠다.
우리처럼 몸무게를 재고, 키를 재고, 검사관한테 똥꼬를 보여주는
검사 말고, 혀가 꼬였는지, 안 꼬였는지에 대한
검사 말이다. 나는 그가 이 세상 어느 곳에 가서도
이 땅에서 쓰던 우리말을 절대 잊지 않고 살았으면 좋겠다. 그래야지
그가 최소한의 국위선양을 하고 있다는 믿음이 생길 테니까.
나는 혀가 짧지만 그래도 우리나라 말을 잘한다.

나는 월요일마다 야구를 하는데 늘 똑같은 글러브만 사용한다.
그래서 글러브 안쪽 구석에 내 사인을 해놨다. 딴 녀석들이 못 쓰게...

이야. 이게 얼마만이야!

우리가 수유초등학교를 졸업한지가 벌써 16년이니 16년만이네...

오! 뿌리...

이번주 토요일날 소주 한잔 어때?

조오치!

수첩에 적을게...

2시간후 우연히 그들은 다시 마주쳤다.

이야. 이게 얼마만이야!

우리가 수유초등학교를 졸업한지가 벌써 16년이니 16년만이네...

이야...

이번주 토요일날 소주 한잔 어때?

잠깐 약속이 있나 수첩좀 보고...

보리와술

어, 이런... 토요일날 이미 술약속이 있는데...

그래, 그럼 할수없지... 새해 복 많이 받구. 또 보자구...

치매처럼 친구들을 점점 잊어갑니다.광수생각.END

내 건망증은 날이 갈수록 상상을 초월해 간다.
얼마 전까지만 해도 지난 주에 무엇을 했는지
기억이 안 날 정도였는데, 요즘에는 전날 무얼 했는지
조차도 잘 기억이 안 난다. 더욱이 사람 이름을 기억한다는
것은 거의 불가능에 가깝다. 길에서 사람을 만나면 얼굴만
기억할 뿐 그 사람의 이름까지 기억해 내진 못한다.
이야기가 끝날 때까지 그 사람의 이름을 부를 일이 없다면
다행이지만 그런 경우, 꼭 그 사람의 이름을 호명해야 하는 일이
생기기 마련이다. 아무리 머리를 쥐어 짜내도 그 사람의 이름이
생각이 나지 않으면, 결국 이름이 생각나지 않는다고 독립군처럼
실토하게 된다. 그때 상대방은 실망감과 함께 뭐, 이딴
녀석이 있나, 하는 얼굴로 나를 쳐다보게 되고,
내 기억력을 나는 다시 한 번 원망하게 된다. 나이가 들면서
원숙해진다는 것은 좋지만 부록처럼 얻어지는 기억력 감퇴는
문제가 있는 것이다.

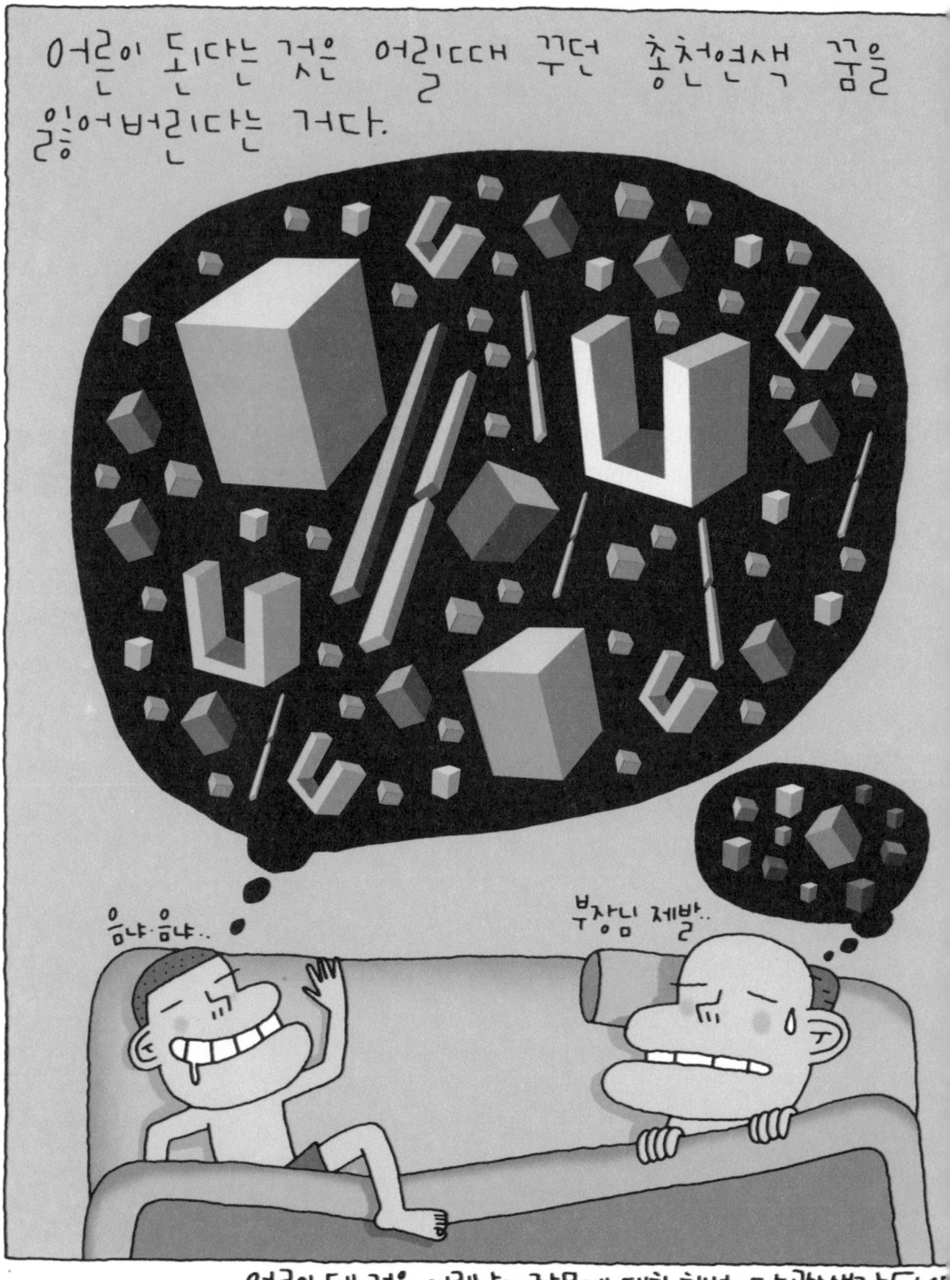

어른이 되는것은, 어린날의 잘못에 대한 형벌이다. 광수생각.

꿈을 꿀 수 있다는 것은 축복받은 일이다.
내가 앞에 말한 꿈이란 것은 잠잘 때 꾸는 꿈이 아니다.
언제나 자신이 무엇이 될 수 있다라는 희망사항,
그것을 매일매일 쫓는 것이 내가 말한 꿈이다.
그걸 포기했을 때 인생은 어쩌면 허망하고 더 힘들어질지도 모른다.
최소한 꿈을 꾸고 있는 동안만큼은 행복한 시간이라고
믿고 싶다. 나는 아직도 매일 꿈을 꾼다.

왕머리 신진택을 위해 내가 만들어 준 목각인형.
꽤 오래전에 만들어 준 것인데 자신이랑
닮았다고 생각하는지 절대 버리지 않는다.

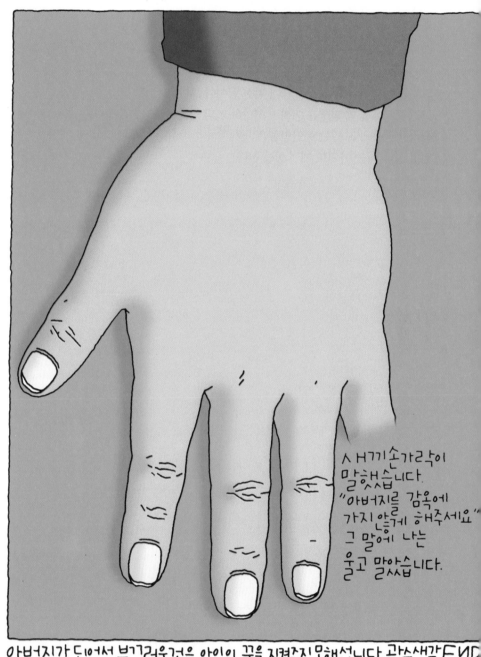

새끼손가락이
말했습니다.
"아버지를 감옥에
가지 않게 해주세요"
그 말에 나는
울고 말았습니다.

아버지가 되어서 부끄러운것은. 아이의 꿈을 지켜주지 못해섭니다. 광수생각.END

나는 TV를 보면서 '이게 뭐야' 하는 생각이 들었다.
아이는 자신의 새끼 손가락을 자른 아버지를 처벌하지 말아 달라고
말하고 있었다. 아버지는 보험 회사로부터 몇 푼의 돈을 타내기 위해 과감하게(?)
자신의 아이의 새끼 손가락을 잘랐고, 아이는 뉴스에 나와서
자신의 새끼 손가락을 자른 것을 아버지와 합의한 사항이라고 말했다.
그리고 병실에서 아버지가 처벌받지 말게 해달라는 부탁은
이미 아버지가 되어 있는 나를 충분히 비감하게 만들었다.
아버지가 자른 것은 아들의 새끼 손가락으로 끝나지 않을 것이다.
아버지는 이미, 아들이 아버지에게 가질 수 있는 추억을 잘랐고,
앞으로 더 커질 세상에 대한 사랑을 자른 것이다. 우리가 아무리 배고프고
힘들고, 어렵다고 하더라도 아이들과 함께하며 아이들을 지켜주는 것은
정말 소중한 일이다. 그리고 꼭 그렇게 되어야만 한다.

X-file

아이들의 시각은 잃어버린 것을 찾아줍니다. 광생각E

요즘 길을 걷다보면 한때 완전히 사라졌던 뽑기 아줌마, 아저씨들이 대 성황을 이루고 있다. 내가 어렸을 때 이십 원이던 '뽑기' 가 지금은 오백 원으로 신분이 상승되었다. 나는 뽑기 아줌마, 아저씨를 볼 때마다 한 번도 그냥 지나친 적이 없다. 어렸을 때처럼 침을 발라서 열심히 뽑기를 뽑는다든지, 집에까지 가지고 가서 바늘로 심혈을 기울여 뽑는 것은 아니지만, 그 자리에서 두세 개쯤은 금방 해치워버리고 반나절 동안 입 안에 단맛이 떠나지 않아 고통스러워한다. '뽑기' 에는 별을 눌러 찍어주거나, 모자를 눌러 찍어주는 것만 있는 것이 아니었다. 내가 어렸을 때는 뽑기 아저씨 천막 안에 들어가면 주인 아저씨 전용 연탄불이 하나 있었고, 바로 옆에는 우리들처럼 코흘리개 손님들의 전용 연탄불이 하나 있었다. 우리들은 연탄불을 중심으로 국자를 들고 다닥다닥 붙어서 심도있는 토론을 하곤 했다. 소다의 양은 이 정도를 넣어야지 가장 적당히 부풀어 오른다든지, 혹은 소다를 넣을 때는 국자를 연탄불 밖으로 뺀 다음 넣어서 열심히 저은 다음에, 부풀리는 당시에만 연탄불에 살짝 갖다대야 한다는 심오한 기술을 피력하는 녀석도 있었다. 내가 그때 녀석들에게 자랑했던 기술은 뽑기 따위가 아니었다. 달고나 가지고는 별다른 기술을 부릴 수 없었으므로, 나는 뽑기에서 상당한 경지에 이른 후에야 도달하는 소다빵 만드는 기술을 자유자재로 뽐내곤 했다. 소다빵은 뽑기와 만드는 기술이 처음부터 구분된다. 뽑기는 국자에 설탕만 넣고 잘 저으면서 출발하지만, 소다빵은 맨 처음부터 국자에 설탕과 약간의 물을 같이 넣는다. 그때 넣는 물의 양이 소다빵의 성패를 가름한다. 너무 많이 넣으면 소다빵은 나중에 뭉치지 않고, 너무 적게 넣으면 소다빵이 너무 딱딱 해진다. 처음 설명처럼 국자에 물과 설탕을 넣고 열심히 젓다 보면 거품이 일기 시작한다. 아주 능숙한 솜씨로 거품을 다스려야 하는데 그것이 쉬운 일이 아니다. 그렇게 열심히 하다 보면 경험에 의해서 이때쯤 국자를 빼야 한다는 판단이 설 때가 있다. 그때 국자를 잽싸게 빼서 소다를 넣고 잘 젓는다. 그리고는 뽑기와 마찬가지로 살짝 부풀리기 위해, 불에 잠시 갖다대고 알맞게 부풀었을 때쯤 국자를 다시 신속히 빼서 국자의 밑면만 찬물에 댄다. 그 전의 작업들에 한치의 오차라도 있으면 부풀었던 소다빵은 물에 갖다 댄 순간 폭싹 꺼지고 마치 누룽지처럼 변해 버린다. 그 누룽지처럼 변해 버린 녀석도 참으로 훌륭한 맛이지만, 소다빵이 성공했을 때 주변에서 보내는 부러움에 찬 시선은 어느 것에도 견줄 수 없다. 그만큼 소다빵 만들기는 어려운 것이다. 나는 그처럼 어렵게 만든 소다빵이 먹고 싶다.

우리들은 일요일에 산에 오르고, 부장님은 일요일에 하루 쉽니다.광수생각 EN

한강변에 나가 보면 낚시하는 사람들이 예전보다
많이 늘어났다. 그들이 낚시하는 모습을 바라보고 있노라면,
그들이 낚고 있는 것은 고기나 세월 따위가 아니라
지나온 날의 회한이 아닐까 하는 생각이 든다.
해질 무렵 그들의 뒷모습이 쓸쓸하게 느껴지는 건 그런 까닭이다.

사무실엔 아무 제목도 없는(?) 테잎이 많다.
어느 날 놀러 온 쩍새 욱재가 우리 몰래 이 테잎을
집에 가져간 모양이다. 저녁에 사무실로 전화가 왔다.
"야! 이거 왜 뽀리가 나오냐?"

애야!

이봐야, 저쪽 골목에써 니 남자친구가 너를 기다리는것 같드라..

나 아빠...

아니? 아빠는 제 남자친구를 한번도 본적이 없잖아요. 그런데 제 남자친구인걸 어떻게 알죠?

그래. 한번도 본적이 없지... 그런데 골목에 서있는 그 녀석이, 저번에 내가 잃어버린 넥타이를 매고 있드라..

우이씨...

.....

히익!

키워봐야 소용없어... °°°

사랑은 변하지 않습니다. 어떠한 일에도.. 공수생각 EH

딸년들은 결혼할 때쯤이면 도둑년이 된다고
어른들이 늘 말씀하셨다. 우리집에는 다행 딸이 하나도
없어서 도둑년 대우를 받을 만한 사람이 아무도 없다.

아버지가 그랬듯, 저도 자식에 대한 사랑이 매일 5cm씩 잡니다. 광수생각END

나는 가끔 세상에서 가장 빠르게 성장하는 것이
무엇일까에 대해서 생각해 볼 때가 있다.
늘 결론은 사랑이라는 쪽으로 기운다.
우리가 오랜 시간 같은 자리에 앉아 있으면서
질문도, 답변도, 그리고 그 어느 손짓도 하지 않는 것은
권태 때문이 아니다. 깊어진 사랑은 꼭 잡은 손만으로도
충분하기 때문이다. 문제는 내가 내 안에서 너무 성장해
버린 내 사랑을 주체하지 못할 때이다.
언제나 사랑은 내 안에서 그렇게 빨리
커버린다. 늘 의지와는 상관없이...

사랑은 시련 속에서 더 깊어갑니다. 광수생각 END

전에도 이런 얘기를 한 것 같은데
나이가 들면서 마치 신념처럼 사랑을 믿지 않게 된다.
그래서 내 주변의 녀석들이 진실한 사랑을
운운할 때마다 아주 저급한 사랑을 만났을 때의 표정을
그들에게 지어 보이곤 한다. 처음 만났을 때의 그 크기가
과연 언제까지 지속될 것인지가 커다란 의문이기 때문이다.
나는 친구들에게도, 그리고 내 만화에서도,
'사랑은 사과와 같다' 라는 얘기를 한다.
사과는 깎기 전에는 늘 아름다운 빛깔을 유지하지만,
깎고 난 후에는 금세 변색이 되기 때문이다.
잘난 척하는 내 친구 영복이는
변색된 후에 사과를 또 깎으면 된다고 말한다. 그렇다.
색깔을 유지하기 위해서는 또 한 번 사과를 깎아야 한다.
그러다 보면 결국 사과는 작아지게 마련이다.
그것이 내가 알고 있는 지금까지의 사랑이다.
그럼에도 불구하고 나는 또 손에 새로운 사과를 들고 있다.

막내 철영이가 담배를 줄이려고 자기 책상 위에
올려놓은 해골 바가지 인형이다. 그걸 가끔
왕머리 신진택이 몰래 빼서 핀다.

어느 여고의 실화. 선생님 화이팅! 광수생각 END

1권의 내 책을 본 사람들은 나의 선생님과 경찰들에 대한 불신감을 어느 정도 눈치 챘을 것이다. 하지만 내게 편지를 보내는 사람들 중에는 경찰이나 선생님의 좋은 면을 만화로 그려 달라는 요청을 하는 사람도 많았다. 물론 나도 좋은 선생님이나 정직한 경찰을 한 번도 만나지 않은 것은 아니다. 나도 좋은 선생님에 대한 기억과 정직한 경찰에 대한 기억을 갖고 있다. 하지만 그 기억은 대개의 경우 열 번 중에 두어 번이고, 나머지는 그렇지 않은 경우가 대부분이었다. 영화 제목처럼, 나는 소망한다, 내게 좋은 선생님과 정직한 경찰들만 있기를... 그런 의미에서 좋은 선생님과 정직한 경찰에게 화이팅을 보낸다. "화이팅!"

저는 언제나 사랑을 꿈꿉니다 그녀는 제 대답입니다 광수생각 타이

여자애들은 남자애들보다 성장이 빠른 것 같다.
우리 큰 아들인 상준이는 돌이 한참 지나서야 걷기
시작했는데, 둘째인 딸 정인이는 아직 돌이 안 됐는데도
혼자 일어나서 조금씩 걷기 시작한다.
그래서 우리집은 **자명종이 필요없다.**
애들은 신기하게도 밤 열 시 반이면 칼같이 잠이 드는데
문제는 아침 일곱 시 반이면 또 칼같이 일어난다는 점이다.
나는 작업을 새벽에 하는 일이 많기 때문에 집에 늦게 들어와서
아침 늦게까지 자는 일이 많은데 애들이 깨는 시각인
일곱 시 반부터는 어떻게 자는지 모를 만큼 고통스러운
시간이 시작된다. 상준인 내 배가 푹신해서 그런지 깨자마자
나에게 달려와 내 배 위에서 마구 뛰어다니고, 호기심 많은 정인이는
무릎으로 열심히 기어와서 런닝셔츠 사이로 나온 내 젖꼭지를 손으로
마구(?) 뜯는다. 그래서 나는 그렇게 늦지 않는 시간에 사무실로 출근을
할 수 있는 것이다. 언젠가 애들에게 **자명종에 들어가는**
건전지 값 정도의 과자를 사주어야겠다.
나는 내 아이들을 사랑한다.

사무실 개업식날 뚱땡이 정유희가 자신의 이미지와
똑같은 선물을 사왔다. 사탕을 열심히 먹고 빨리
자신만큼 뚱뚱해지라는 건가? 맹세컨대 그 많은
사탕 중 내가 먹은 사탕은 두 개에 불과하다.

판사님, 더 이상 아내와 살 수 없습니다. 도장을 찍고 헤어져야 겠습니다!

나 도장..

이유가 무죠?

이유요? 아내는 다혈질 입니다. 손에 잡히는 물건은 죄다 제게 던집니다. 그동안 집안 물건이 얼마나 깨졌는지 모릅니다...

그런데, 왜 지금까지 참고 기다렸죠?

최근에서야 던지는 물건들이 제게 정확하게 날아오기 시작했거든요..

....

그사람에게 사랑을 던지세요. 아주 힘껏.. 광수생각 E

빼질이 영복이와 나는 자주 술을 마신다.

그럴 때마다 신데렐라 운운하면서 열두 시까지

들어가야 하는 우리들의 모습에 마구 한탄을 한다.

둘이서 부둥켜 안고 우리가 뭐 하려고 이렇게 빨리

결혼을 했는지 모르겠다고 주거니 받거니 술을 권한다.

그러다 보면 어느새 시계는 두 시를 가리키고 있고,

빼질이 영복이와 나의 얼굴은 또 사색이 된다.

그제서야 푸념을 하면서 술 먹었던 것을 후회하기 시작하고,

서로 핑계를 만들기에 급급해진다. 늘 후회할 걸 알면서도

우리는 마주 앉아서 자유를 이야기하며

새벽 두 시까지 술집에 자신을 가두어 둔다.

그렇게 해서는 결코 우리가 바라는

'자유'라는 것이 오지 않을 것임을 알면서도...

하느님 저에게게 왜 검은 피부를 주셨나요?

그야, 아프리카 정글에서 밤 사냥을 나설때 어두운 밤에 잘 어울리게 하고, 또 아프리카의 뜨거운 햇빛으로부터 자네를 보호하기 위해서지…

…

하느님, 그럼 제 머리는 왜 이렇게 곱슬곱슬하죠?

그건 자네가 정글을 뛰어다닐때 머리가 헝클어지거나 덤불에 걸리는 일이 없도록 하기 위해서지…

….

근데, 저는 왜 시카고에 태어난거죠?

행복한 사람은 두려움없이 자신에게 열정을 고백하는 이. 광수생각 18

1권에서 비슷한 내용의 만화를 그린 적이 있다.
이것은 그 만화의 2편인데 1권에서는 만화에 빗대어
자신이 있을 자리를 모르는 사람들이 자신의 자리를 지키며 최선을
다할 때 가장 아름다운 모습으로 빛날 수 있고, 우리가 원하는 좋은
세상을 맞을 수 있으리라 생각한다고 썼던 기억이 난다.
그리고 당신이 그 자리에 있는지 아주 조용한 시간에
다시 한 번 생각해 보기를 권했던 기억이 난다. 그때 그 생각들은
변함이 없다. 그렇다. 나는 그 생각에는 변함이 없다. 하지만 어쩌면
나는 이미 내 게으름 때문에 자격을 상실했는지도 모른다.
예비군 훈련도 나가지 않은 내가 이런 말을
한다는 게 되게 웃기기 때문이다. 이제부터 나는 예비군 훈련장에
있는 내 모습도 사랑하며 살아야겠다. 예비군 통지서가 나왔을 때
예비군 훈련장에 있는 내 모습이 가장 빛날 테니까 말이다.
"충성!"

자네 집사람은 잠이 깊게 드는 편이야?

글쎄… 그걸 모르겠어.

아니, 결혼한지가 언제인데, 아직 그걸 모르나?

그게 말이야, 내가 밤 늦게 들어가면 귀신같이 아는데, 애가 울면 죽어도 안 일어나거든…

. . . .

사는게 용하다…

웃으면서 일어나 주십시오. 아기가 미안하지않게… 광수생각 Ev

왕머리 신진택의 집사람과 뺀질이 김영복의 집사람과
내 마누라인 희정이는 아주 긴밀한 사이이다.
그래서 셋 중에 한 명이 없어진다거나 하면 어김없이
나머지 두 사람의 핸드폰이 울려댄다.
왕머리 신진택과 뺀질이 김영복과 그리고 나, 이렇게 셋이서
술을 먹을 땐 우리는 매번 어디서 어떻게 먹었노라고 사전에
입을 맞춰놓고 헤어지지만, 셋 중에 단 한 사람이라도 마누라의
고문에 못 이겨 우리가 말한 것보다 더 많은 정보를 불게 되면,
그 녀석의 생명은 물론이고 나머지 두 사람의
생명까지 보장받지 못하게 된다.

내가 똥과 돼지를 좋아하는 것처럼, 왕머리 신진택은 공룡 인형만
보면 미쳐버려서 사지 않고는 못 배긴다. 여의도에서 하는 박람회에
갔다가 또 한 번 미쳐서 산 공룡 인형이다. 왕머리 신진택의 컴퓨터
위에서 늘 왕머리 신진택을 노려보고 있다.

언제나 들어오고 싶은 마음이 드는 집을 만들어주세요. 광수생각 END.

내 친구 왕머리 신진택은 우리 앞에서 늘 기고만장해 있다.
자신은 집에 술을 먹고 들어가도 언제나 마누라 위에 군림하노라고
우리에게 큰소리를 치곤 했다(그건 뺀질이 김영복도 마찬가지이다).
그러던 어느 날 왕머리 신진택의 비리가 알려지게 됐다.
그날도 왕머리 신진택은 술을 먹고 아침 신문과 함께 집에 들어갔고,
마누라의 항의에 주먹을 불끈 쥐고 때리는 시늉을 했다고 한다.
더 이상 참지 못한 왕머리 신진택의 마누라는 주먹을 불끈 쥐고
왕머리 신진택의 면상에 스트레이트를 날렸고,
신진택은 그 자리에서 나자빠졌다. 그 얘기가 우리에게 탄로나자
왕머리 신진택은 배시시 웃으며 예전에는 발로 걷어차여 침대에서
떨어진 적도 있다고 우리에게 고백했다.
나는 그 말이 결코 웃기지 않았다.
왜냐하면 나도 맞고 침대에서 떨어진 적이 있기 때문이다.

탕!

나중…

첫 출발선을 기억하십니까?

저는 그대로 넘어지고 말았습니다.

!

어구…

아이들은 이미 저만치 앞서 가고 있었구요… 이미 벌어진 거리를 좁히는 것은 너무나도 힘든 일이었습니다.

…

그후 한참동안을 다시 출발선에 설수 없었습니다. 자신을 잃어서였습니다.

… 나 낙오자… …

그후 얼마나 시간이 지났을까요? 저는 또 다시 출발선에 섰습니다. 출발선에 다시 오기까지는 부모님의 격려와 박수가 있었기에 가능했습니다. 이번 출발에서는 넘어져도 다시 일어나 뛰겠습니다.

시간이 지나보니, 매일매일이 출발입니다. 곽쌍생각

대입 체력장 시험 때 나는 비교적 시험을 잘 치뤄,
천 미터 달리기를 하기 이전에 이미 만점을 받았다.
대부분 만점을 받은 친구들 가운데에는 괜히 힘들여
'천 미터 달리기'를 할 필요가 없다며 그만 두는 친구들이 많이
있었는데, 나는 괜한 영웅심 비슷한 것 때문에 천 미터 달리기를
하기로 결정했다. 총소리가 울리자마자 나는 체력 안배 따위는
아랑곳 않고, 마치 백 미터 달리기를 하듯 아무 생각 없이
뛰어나갔다. 한 바퀴를 돌았을 때 나는 다른 친구들보다
반 바퀴 정도 앞서 있었고, 환호하는 내 친구들에게 손까지 흔들어
보였다. 운동장을 총 여섯 바퀴 뛰는 것이었는데 두 바퀴를 뛰자
나는 숨이 가빠오기 시작했고, 결국 세 바퀴 때쯤에는
내 뒤에 있던 친구 녀석들이 모두 나를 앞질러버렸다.
우여곡절 끝에 여섯 바퀴를 다 돌긴 했지만 내 가슴은 터질 것만 같았다.
살면서 계획을 세운다는 것은 굉장히 중요한 일이다.
그래야지만 가슴이 터지는 일이 없을 것이다.

나는 화실 강사를 3년 간 했다. 그 전에 이미 나는 대학에 가기 위해
화실 생활을 4년이나 했다. 그래서 대학에 가기 위한 입시기간과
강사로 화실에서 지냈던 시간을 모두 합치면 7년이라는 시간이 된다.
7년이면 굉장히 긴 시간이다. 소설을 써도 한 권은
쓸 수 있을 것이고, 화실에 관한 논문을 쓴다 해도 세 권쯤은 쓸 수 있을
시간이라고 생각한다. 학생 때 나는 구성과 데생이라는 것을 공부했는데,
데생은 멀리 있는 석고를 보고 그려야 했으므로 안경을 착용하는 나로서는
안경을 가지고 오지 않으면 석고데생을 할 수가 없었다. 그래서 데생을
하기 싫은 날에는 일부러 안경을 빠뜨리고 오는 경우가 많았다.
그때 나는 선생님이 내 거짓말에 잘 속아 넘어간다고
생각하고 있었던 것 같다. 그런데 내가 선생님이 되고 보니 나와 똑같은
거짓말을 하는 녀석들이 눈에 보이는 것이었다. 이미 내가 전에 써먹었던
거짓말인지라 녀석들의 거짓말은 눈에 빤히 보였고, 나는 실소를 금할 수
없었다. 내가 녀석들을 바라보는 시각으로 그때도 선생님은 똑같이
한심스런 시선으로 나를 바라봤겠지? 아버지나 어머니 그리고 선생님은
알면서도 속아 준다. 그들도 그렇게 자라왔기 때문일까?

초등학교에 다니는 꼬마 팬이 내게 선물한 인형과 내 만화 모음집이다.
지금까지 답장을 못하고 있지만 마음 깊이 고마워하고 있다.
빨리 답장 써야지...

고백하건대 저는 원래 네모난 녀석이었습니다.

....

나
네모..

안녕이라 말하지 않고 떠나기

여러분도 보시면 알겠지만, 이런 형태로는 이동이 어렵습니다. 그래서 전 대부분의 시간을 한 자리에서 오랫동안 있어왔습니다.

....

그러던 어느날 제게도 사랑이 찾아왔습니다.

하지만, 변변한 고백의 말을 꺼내기도 전에 사랑은 제게서 떠나가 버렸습니다.

찍~

더

사랑이 떠났을때 저의 한부분도 떨어져 나간것을 보았습니다.

....

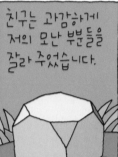

참참참

광수생각은 우리를 참 놀라게 한다. 그러나 인간 박광수는 우리를 놀라게 하지 않는다.
다만, 그의 나이보다 더 나이 들어 보이지만 너무나 평범한 외모의 그가 신뽀리를 통해서
'광수생각' 이란 얘기를 한다는 게 놀라울 뿐이다.

그는 참 무뚝뚝하다. 그가 얼마나 따뜻한 가슴을 가졌는지 알려면,
다소 내성적인 광수와 가까워지기 전까지는 만만치 않다.

그는 참 술을 좋아한다. 공교롭게도 술은 동물원 식구들도 좋아하는 종목이기때문에
우리는 쉽게 어울릴 수 있었다. '주종' 역시 일치한다. 소주회사 광고 모델로도 손색이
없을 만큼 그는 넉넉한 미소와 위장을 가졌다.

누가 광수는 안경너머로 날카로운 눈매를 가졌다고 한다면, 지나가는 개가 웃을 일이다.
그러면 우리에게 전율을 느끼게 하는 그의 비범함은 어디서 오는 걸까?

나로서는 알 수 없는 일이다. 내가 아는 건 단지, 그가 외모와는 달리 엉성한 듯하면서도,
자세히 들여다보면 징그러울 정도로 깔끔한 그림을 그릴 줄 아는 재주가 있고, 사람들이
그의 만화를 좋아한다는 사실뿐이다.

그리고 요즘처럼 각박한 세상에서 광수 같은 놈이 우리가 사는 세상에 같이 살고
있다는 게 그저 고마울 뿐이다.

유준열 | 동물원

야! 이제 비X체는 그만 좀 가자!

나는 그를 만나기 전까지는 그에 대해서 잘 모르고 있었다. 단지 요즘 새로이 떠오르는
만화가라는 것과, 여러 독자들에게 '광수생각' 이라는 일상에 대한 나름의 철학을 용기(?)있게
배포(?)하여 독자들 자신만의 '자기생각' 에 맞추어 고개를 끄덕이게 하는 면도 있다는 그런,
내게는 그냥... 그냥 유명한 사람에 불과한 '잘 모르는 사람' 이었다. 그러나 그를 만나고부터는
그가 '무서운 사람' 으로 바뀌었다. 그가 우리 '동물원' 과는 술로 이루어진 관계라고 말하듯
초기에는 그를 만나는 일이 두려웠다. 일단 그는 술을 꺾지 않는다. 오히려 꺾는 사람에게는
화를 낼 것도 같은 분위기였기 때문에 술을 그리 잘하지 못하는 나는 되도록 그의 자리에서
멀리 떨어져 앉고 싶었을 정도였다. 그렇게 우리의 초기의 만남은 망가져 갔다. 그러나 우린
만남을 거듭하면서 그의 편한 분위기와 우리의 무던한 분위기가 어우러지며 나는 그를 상처도
잘 받고, 화도 잘 낼 수 있고, 또한 사랑도 가득 가질 수 있는 '나와 비슷한 사람' 으로 느꼈다.

"어? 예쁜 여자 보면 눈도 빨리 돌아가는군... 쩝... 나보다 빨리..."
"뭐라고 술 취해 헤매다가 택시 타고 유람했다고? 하하하..."
어쨌든 그를 만나고 나서 나는 나이트 클럽을 서른 다섯 평생 가본 횟수보다 더 많이(?)
가게 되었고, 그의 집사람에게 서서히 찍혀 가는 모습으로 변해 가게 되었다.
"광수야, 이제 우리 비X체는 그만 좀 가자!"

평범하면서도 내면에는 그 누구도 가질 수 없는 비범함이 있다는 걸 믿는 나와
'비슷한 사람', 그가 박광수라고 느낀다. 인생의 친구를 만나기 힘들다는 서른이 넘은

후의 만남, 우리는 아직 더 많은 경험을 얘기해야 하고 더 많은 갈등이 있어야 하겠기에 우리 관계의 발전을 결론 짓기는 이를 수도 있다. 하지만 솔직하고 편한 그가 좋다. 또한 그래서 미래를 생각하자면 다시 그가 '무서운 사람'으로 생각되어질 수도 있겠다.

왜냐하면 인간 관계에 있어서 좋아하고 친한 사람일수록 사랑과 함께 무서움(예의)도 가지고 대해야 한다고 생각하기 때문이다. 요즘은 그와 일주일에 한 번 하는 야구가 좋아졌다. 기다려지기도 한다.

배영길 | 동물원

두 가지 부류의 사람들

광수에게서 짧은 글을 부탁받은 지 벌써 2주가 지났다. 모든 원고들이 마무리되고, 보잘 것 없는 이 글 때문에 책이 늦어진다니 미안한 마음 금할 순 없지만, 왠지 이 글만큼은 아무렇게나 써서 전해 주고 싶지 않은 나의 마음으로 변명의 말을 대신한다. (광수야 미안해 ^^)

나는 광수의 만화를 볼 때나 광수를 만날 때마다, '아아~ 이 녀석 참 나와 닮은 구석이 많구나'라는 생각을 하곤 한다. 나는 어떤 기준, 어떤 잣대를 가지고 세상을 바라보고 살아가느냐에 따라, 세상엔 크게 두 가지 부류의 사람들이 있다고 생각한다. 첫 번째 부류는 세상을 '옳고 그름', '선과 악'의 기준으로 바라보는 사람들이다. 인간들이 모여 살기 위해 만들어 놓은 법제, 제도, 관습, 도덕률, 자라면서 받은 교육 등으로부터 체득된 것들이겠다. 두 번째 부류는 세상을 '아름다움과 추함', '맑고 더러움'의 기준으로 바라보는 사람들이다. 그럼 이들은 무엇으로부터 그러한 잣대를 얻게 된 걸까? 그것은 바로 '인간 불변의 심성'이라고 나는 생각한다. 태초의 첫 번째 인간으로부터 방금 태어난 아기에 이르기까지, 인간이면 누구나 당연히 가지고 있는 '본성' 말이다. 이 부류 사람들의 눈은 항상 그 본성을 꿰뚫어보려 애쓰고 있고, 그들의 귀는 자기 내면의 소리를 듣기 위해 언제나 열려 있다. 이 부류의 사람들은 자연을 닮아 있다. 자연 앞에 겸허하며, 자연의 변함없는 진리에 경탄해 마지 않으며, 자연으로부터 많은 힘을 얻곤 한다. 우리가 자연에 대해 얘기할 때, '옳은 산, 착한 바다'라고 얘기하는 적이 있나? '아름다운 자연, 맑은 하늘' 이런 식으로 표현을 하지... 물론 극단적인 사람들은 없다. 어떤 사람이든 두 가지 속성을 나누어 갖고 있다. 하지만 내가 아는 광수는, 후자 쪽의 심성을 많이 갖고 있는 녀석이라고 생각한다.

광수... 실수도 많이 하고, 만화가 재미없을 때도 많다.(미안) 하지만 나는 늘 광수를 사랑하고 믿는다. 세상을 바라보는 녀석의 눈이 얼마나 맑고 깨끗한지... 남들이 모두 나 몰라라 무관심해 하는 사소한 일에도 마음 아파하며 같이 눈물 흘릴 줄 아는 광수라는 걸 알기에, 나는 녀석을 사랑한다. 내가 아직까지는 작품으로만 광수를 대했다면, 이렇게까지 녀석에게 반하지는 않았을지도 모르겠다. 하지만 광수라는 인간을 조금씩 알게 된 후로는, 녀석의 만화에서 예전에는 느끼지 못했던 부분들도 알게 됐다. 사람들에게 작품을 선보이고, 독자들의 평가에 따라 울고 웃는 만화가로서의 광수도 멋지지만, 이 험한 세상에서 자신의 삶을 아름답게 풀어가는 한 자연인으로서의 광수는 더 멋진 녀석일 것 같다. 광수 화이팅!!!

박기영 | 동물원

이 세상 개들중 우리 망치만큼 똑똑한 개는 없을거야...

...

나 망치

무슨 이유로?

우리 망치는 매일 아침마다 내게 신문을 가져다 준다구!

朝鮮日報

그정도는 다른 개들도 한다구..

근데, 중요한건 내가 신문을 구독 안한다는 거라고..!

사람보다 훌륭한 개는 없었으면 좋겠습니다. 라고 생각다 타 야이카..

왕머리 신진택은 평소에는 너무너무 착하다.
하지만 왕머리 신진택은 술만 먹으면 개가 된다.
그는 취하면 주변 사람한테 꼭 시비를 걸며
술자리에 여자가 있으면 꼭 반말을 한다.
내가 왕머리 신진택에게 사람들에게 반말 하지 말라고
잉앙김하면 신진택은 내게 이렇게 말한다.
"퍽큐!"

체중계를 볼때마다 마음이 여섯 조각 납니다 광수생각 END

내가 대학교에 처음 들어갔을 때만 해도
키 백칠십사 센티미터에 몸무게가 육십구였다.
지금은 키는 그대로인데 몸무게가 팔십구로 늘어났다.
몸무게가 그렇게 불어난 것은 내가 나를 방만하게 관리하는 데도
이유가 있지만 주변 사람의 탓도 크다. 만약 그때 내 주변 사람들이
그때의 내 모습이 아주 적당하니까 그 몸매를 유지하라고 충고해
주었더라면 나는 지금도 육십구 킬로를 유지하고 있을 것이다.
하지만 그때 내 주변 사람들은 모두 나를 '돼지'라고
놀렸고, 그 충격에 나는 다이어트도 포기한 채 마구 먹게 됐다.
그래서 지금 나의 몸매가 이 모양 이 꼴이 된 것이다.
주변 사람들에게 희망적인 이야기를 한다는 것은 참 좋은 일이다.
아쉬운 것은 내 주변 사람들 가운데 '희망을 노래하는 이'가
별로 없다는 사실이다.

우리들의 찍새 유욱재 군이 사무실에 오면 욱재를
꼬셔서 짜파게티를 끓이게 한다. 사진으로는 냄비가
작아 보이지만 이 냄비는 무려 아홉 개의 짜파게티를
끓일 수 있다. 나는 짜파게티를 먹은 후 설것이를 하기
위해 하는 가위바위보가 싫다.

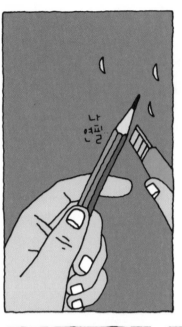

신뽀리는 연필을 아주 잘 깎는 학생입니다.

....

신뽀리는 연필을 깎을 때만큼은 너무나 열심입니다.

사각 사각..

그런 신뽀리를 사람들은 '공부 못하는 신뽀리'라고 부릅니다. 이제부터 여러분은 신뽀리군을 '연필을 잘 깎는 신뽀리'라고 불러 주십시오.

최고로 잘 깎였다! 히·히··

언제나 단 하나의 기준선은 옳지 못합니다. 광수생각 [I]

나는 연필을 아주 잘 깎는다.

원래 우리 집안 사람들이 선천적으로 약간의 손재주를 타고 나긴 했지만,
내 연필 깎는 솜씨는 후천적이라는 게 더 정확할 것이다.

나는 초등학교 시절 자동 연필깎기를 가진 애들이 너무너무 부러웠다.
그네들의 필통을 열면 마치 병정들이 도열해 있는 것처럼 키를 정확히 맞추어
나란히 놓여 있는 연필들이, 내 눈에는 굉장히 멋지게 보이는 것이었다.

비교적 잘사는 형편이었음에도 불구하고 우리 아부지는 자동 연필깎기를
사주면, 내가 게을러진다는 이유로 자동 연필깎기 기계를 절대로 사주지
않으셨다. 그래서 나는, 먼저 깎지 않은 연필을 칼로 일자로 홈집을 내고,
그 일자 선에 맞추어 조심스럽게 연필을 깎은 다음에 칼로 연필을 깎았을 때
연필에 생기는 각들을 칼날로 아주 세심하게 다듬는 기술을 열심히 연마했다.
그렇게 열심히 하면 누가 봐도 정말 기계로 깎았는지, 칼로 깎았는지 구분을
해낼 수가 없었다. 그래서 나는 초등학교 시절, 저녁에 시간을 내서 꼭
연필을 깎고서야 잠을 청하곤 했다. 그렇게 어려운(?)
초등학교 시절을 보내고 중학교에 입학했을 때, 아부지는 내게 중학교 입학
선물로 내가 그렇게 갖고 싶어했던 자동 연필깎기 기계를 사주셨다.

그런데 중요한 것은 중학교에 입학해서는 단 한 번도 연필을 쓰지 않았다는
것이다. 그래서 나는 그 연필깎기를 한 번도 사용하지 않은 채,
지금도 가보처럼 집에다 잘 모셔두고 있다.

내가 평소에 메모할 때 쓰는 펜이다.
펜의 이름은 아트펜인데, 좀 비싼 편이기는 하나
굉장히 부드럽고 내가 좋아하는 느낌을 준다.

나는 머리 숱이 많은 편이다. 그래서 머리 숱이 별로 없는 정한이는 나를 부러워하지만, 사실 나는 내 머리 숱이 좀 적었으면, 했던 적도 있다. 내 머리는 사람들이 흔히 말하는 일명 '떡머리' 다. 그래서 아침에 일어나면 내가 어제 밤새 어떠한 포즈로 잠을 잤는지 정확하게 알 수 있다.

그것 뿐만이 아니다. 학교 다닐 때 가끔 지각을 할 것 같아 택시를 타고 학교를 가면 나는 항상 창문을 열고 가곤 했는데, 내가 학교에 도착했을 때 내 모습을 본 아이들은 모두들 '박장대소' 하는 것이었다. 내 머리는 떡머리라 택시에 창문을 열고 달리면 바람이 불어오는 쪽으로 머리가 전부 치켜올라가 그대로 고정된다. 그래서 그걸 눌러 주는 작업을 하지 않으면 하루종일 그런 머리 모양을 한 채 다닐 수밖에 없다. 그래서 난 늘 머리 숱이 적어서 머리가 차분하게 가라앉은 사람들을 보면 매우 부러운 생각이 들곤 했다. 그런 나에게 담당기자인 현우형이 말했다.

"광수야! 세상에 대머리가 되는 이유는 두 가지 정도가 있단다. 첫 번째 이유는 선천적으로 대머리여서이고, 두 번째는 싸움을 하다 머리털이 다 뽑힌 경우이지."

선택하십시오. 당신의 사랑은 반쯤 빈컵니까? 반쯤 찬컵니까? 깊은생각.END

우리 아부지는 정력적인 분이시다.
이젠 포기하실 때도 됐는데 언제나 내게
충고를 잊지 않으신다. 들을 때마다 아부지의 잔소리가
또 시작됐구나 하고 생각하지만, 그리 긴 시간이
지나지 않아도 아부지의 말씀이 옳다는 것을 알게 된다.
다음에 또 아부지가 내게 말씀을 하실 때는 '아부지가
또 내게 잔소리를 하시는구나' 라고 생각 말고
'아부지가 나에게 또 피와 살을 주시는구나' 라고 생각해야지...

예전에 내가 잠시 강의를 나갔었던 충청대 학생이
우리 사무실 사람들에게 하나씩 선물한 컵이다.
원래 내 컵을 촬영하려 했으나 왕머리 신진택이
재떨이로 사용하는 바람에 촬영하기가 어려워
사무실 막내인 철영이의 컵을 촬영했다.
내 컵은 엘에이 다저스다.

좋은일은 오른손도 왼손도 그리고 동네사람들 모두가 알아도 좋습니다ㅋ광수생각ㅌ어

통신에서 만난 어린 친구들과 함께
고수부지에 가서 돗자리를 깔고 술을 마신 적이 있었다.
우리가 마신 시간은 두 시간이 조금 넘는 시간이었는데
그 짧은 시간 동안에 장사치들이 대충 스무 명쯤 다녀갔다.
물건을 파는 사람들은 대부분 제대로 된 물건을 팔지 않았으며,
그 물건이라는 것도 껌 한 개에 천 원이나 오백 원씩이었다.
심지어 그냥 구걸하는 사람들도 꽤 많았다. 우리는 꽤나 낭만적인
기분으로 고수부지에 나가 술을 마시곤 했는데, 그렇게 계속 물건을
강요하는 사람들 때문에 제대로 술을 먹기란 어려운 일이었다.
남을 돕는 것은, 그리고 그 사람의 물건을 팔아준다는 것은
자발적인 것이어야지 된다는 생각이 들었다.
나는 이제 고수부지에서 술을 마시지 않는다.

우리들 살아만 있다면 만날수 있을까요? 광수생각 타비

나는 산을 싫어한다. 그런 나에게 머리 숱이 별로 없는 정한이가 치악산에
가자고 제의해 왔다. 그때는 매우 추운 겨울이었고, 나는 일언지하에
거절을 했다. 그러자 녀석은 일행이 별로 없으면 재미없다고 판단했는지
자신이 쌀과 부식거리를 죄다 준비할 테니, 몸만 오면 된다고 나를 꼬드겼다.
하지만 나는 다시 한 번 일언지하에 거절했다. 왜냐하면 나는
높은 산에 오르는 것을 매우 싫어했기 때문이다. 녀석은 대강의 이유를 들은 후
절대 산에는 높이 올라가지 않을 것이며, 산이 시작되는 부분에서 밥만 먹고 오자고
했다. 나는 그 부탁까지 거절할 수가 없어서 찜찜한 마음이었지만 구두를 신고
약속 장소로 향했다. 약속 장소에는 왕머리 신진택도 나와 있었다.
왕머리 신진택은 나보다 조금 더 나은 캐주얼 차림이었고, 머리 숱 별로 없는
정한이는 등산화에 등산복, 그리고 등산용 배낭까지 완벽하게 무장을 하고
나타났다. 처음 산을 오르기 시작했을 때는 눈이 오지 않았었는데, 우리가 막
산을 오르기 시작하니 눈이 펑펑 내리기 시작했다. 고동색이었던 산은 정말
눈깜짝할 사이에 완전히 하얀색으로 변해 버렸고, 금세 곳곳에 빙판이 생겼다.
나는 머리 숱 별로 없는 정한이의 꼬드김에 넘어가
계속해서 산을 올랐고, 내 구두는 젖은 상태를 넘어서 점점 얼어 가고 있었다.
아무튼 우리는 얼마 안 가서 눈이 너무 많이 와 하산하기로 했는데,
진짜 문제는 그때부터였다. 내려오는 길은 완전히 썰매장이었다.
조금만 경사진 곳이면 나는 여지없이 굴러야 했고, 나무에 걸려 설 때까지
거의 삶과 죽음의 경계선을 왔다갔다했다. 그렇게 얼마나 왔을까,
눈이 너무 많이 와서 등산화를 신고서도 몇 번은 넘어진 정한이가 결국
투덜대며 말했다. "아, 이제 도저히 안 되겠어!"
하면서 자신의 배낭에서 '아이젠' 이라는 미끄러지지 않는 도구를 꺼내어,
자신만 그것을 착용한 채 산을 뛰어내려가는 것이었다. 우리는 산 밑까지 거의
같은 속도로 내려왔다. 다만 차이가 있다면 머리 숱 없는 정한이는 아이젠을
신고 뛰어내려왔다는 것이고, 나와 왕머리 신진택은 굴러서 내려왔다는 것이다.
나는 치악산의 '치' 자만 들어도 치가 떨린다.

집안일은 의논해 주십시오. 대머리 되는것도… 광수생각. 튀

나는 고등학교 2학년 때 같은 반 친구인 유종이와
함께 퍼머를 하러 간 적이 있다. 그때에는 마치 한 듯 안한 듯한
웨이브 퍼머가 유행이었다. 우리는 신일 고등학교 근처에
있는 조그만 미용실에 들어가 아줌마한테 요즘 유행하는 웨이브 퍼머를
해달라고 부탁했으며, 최대한 퍼머한 티가 나지 않게 해달라고 다시 한 번
부탁드렸다. 아줌마는 '자신만 믿으라' 며 우리를 안심시켰고, 아줌마의
자신감 속에서 우리는 퍼머를 시작했다. 그때 그 수모는
잊을 수 없다. 당시만 해도 남자가 퍼머를 하는 일이 별로 없었기 때문에,
어린 남자 녀석 둘이 미장원 구석에 머리에 터번 같은 것을 두르고
여성 잡지를 보고 있는 모습은 동네 아줌마들에게 커다란 구경거리였을
테니 말이다. 나중에 머리에 두르는 수건을 풀자 우리의 예상과는 다르게
웨이브 퍼머가 아닌 장정구 퍼머가 돼 있었다. 우리는 놀란 눈으로
아줌마를 쳐다봤고, 아줌마는 차인표가 하는 것처럼 검지 손가락을 흔들며
아직 끝난 것이 아니라고 말했다. 아줌마는 드라이기로 우리 머리를 열심히
폈고 한 삼십 분쯤 드라이를 하니 우리가 원한 웨이브 머리가 되었다.
우리는 만족스럽게 각자의 집으로 돌아갔고, 만족스런 표정으로 잠자리에
들 수 있었다. 그리고 아침이 됐다. 여느때와 같이 학교에
가기 위해 눈을 떴고 나는 또 여느때와 같이 목욕탕에서 샤워를 했다.
몸 구석구석의 때를 열심히 밀고 머리도 감았음은 물론이다. 그리고 나는
거울을 봤다. 그 순간 나는 영화 '나홀로 집에' 의 케빈처럼 소리를 지를 수
밖에 없었다. 거울 속의 내 머리는 웨이브진 멋진 머리가 아니라 다시
장정구 머리가 돼 있었기 때문이다. 나는 거의 무스 한 통을 다
써가면서 머리를 펴보려고 노력했지만 방금 감은 머리는 쉽게 펴지지
않았다. 결국 나는 다음날 머리를 빡빡 밀었다. 유종이도 머리를 빡빡 밀고
말았다. 유종이가 머리를 빡빡 밀지 않았더라면 아마도 나에게 머리를 죄다
뽑혔을 것이다.

부모님의 사랑은 어디에서 솟아나는 걸까요? 공우기타

예전에는 매주 일요일이면 아부지의 손을 잡고 목욕탕엘 갔다.
그러나 결혼한 후에는 자주 가기가 힘들고 아주 특별한 날이 되어야
아부지와 목욕탕엘 가게 된다. 어떤 날이었는지 기억은 나지 않지만
아마 **그날도 역시 특별한 날**이었을 것이다.
아부지와 나는 목욕탕엘 갔고, 아부지는 전날 목욕을 했기 때문에
내게는 등만 밀어달라고 하셨다. 나는 아부지의 등뒤에서 예전보다
많이 작아진 등을 밀기 시작했다. 한참을 밀었을 때
아부지가 뒤를 돌아보며, "젊은 녀석이 왜 이렇게 힘이 없냐"며
좀더 세게 밀라고 말씀하셨다. 하지만 나는 아부지의 말처럼
더 세게 밀 수가 없었다. 이미 충분히 작아진 아부지의 등은
내가 더 힘을 주어 밀면, 많이 **아플 것 같았기 때문**이었다.
예전에 아부지 등에 매달려, 있는 힘을 다해
아부지 등을 구석구석 밀던 그때가 눈물나게 그립다.

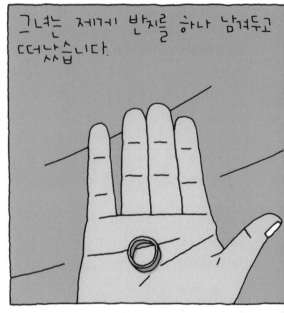

그녀는 제게 반지를 하나 남겨두고 떠났습니다.

사랑은 그녀가 제게 주고간 반지 같습니다. 새끼 손가락에는 조금 크고, 다른 손가락에는 어색하고 빼기도 힘들었습니다. 뺄라치면 대단한 통증을 감수해야 합니다. 그런면에서 반지는 사랑과 통하는 구석이 있습니다.

이루어지지 않은 사랑중 아프지 않은 사랑이 있습니까? 광수생각 E.N

이 만화는 '페이퍼' 라는 잡지에 기자로 있는
내가 좋아하는 동생 양수가 쓴 글을 인용해서
그린 만화이다. 나는 양수와 술도 자주 먹고, 단둘이 외국여행도
갔던 터라 양수를 엔간히 알고 있다고 생각했지만, 양수가 사랑에
이토록 절절한 감정을 지니고 있을 줄은 몰랐다.
양수가 누구에게 맞으면 나는 맨날 양수가 터졌다고
놀렸지만, 이제는 그러지 말아야겠다는
생각이 들었다. 양수는 꽉 찬 녀석이다.
양수가 꽉 찼다.

이 세상의 그 무엇보다 가장 중요한 것은 바로 당신입니다. 광수생각 End

우리의 생명을 돈으로 환산할 수 있을까?

나는 그럴 수 없다고 생각한다.

그 사람이 귀한 사람이든 귀하지 않은 사람이든,

누구의 생명도 돈으로 환산할 수는 없다고 생각한다.

그만큼 생명은 귀중한 것이다. 그런 까닭에

나는 생명 보험 드는 것을 싫어한다. 물론 보험 하시는 분들이

이 글을 읽으면 싫어하시겠지만, 내 주변의 소중한 사람들의

생명을 돈으로 보상받을 수는 없는 것이다.

당신은 타인에게 어떤 사람입니까? 광쌩각.TV

우리들에게는 참 싫은 사람들이 많다.
우리 마누라 희정이는 텔레비전에 나오는 자기보다
예쁜 탤런트들을 모두 싫어한다. 그래서 희정이가
좋아하는 여자 탤런트는 거의 없다. 왕머리 신진택도 마치
해설자처럼 텔레비전에 사람들이 나올 때마다 꼭꼭 싫은 이유를
들어 채널을 계속 바꾼다. 그래서 왕머리 신진택과 함께 텔레비전을
보기란 결코 쉬운 일이 아니다. 아마 왕머리 신진택은 자신이
텔레비전에 나와야 채널을 바꾸지 않을 것이다.
그게 우리들의 모습이기도 하다.

우리들이 쓰는 케이블 텔레비전 조종기.
밥 먹을 때와 저녁 시간 한가할 때 가끔가끔 음악 채널 MTV를
틀어놓고 작업한다. 왕머리 신진택은 당구 중계를 좋아하고,
막내 철영이는 그냥 우리가 틀어 놓은 채널을 본다.

술만 마시면, 아무나 때리는 신뼈리가. 오늘도 같은 일로 경찰서로 잡혀왔었다.

경 찰 서

자네는 참으로 딱한 사람이군. 술이란 좋은 것일 수도 있지만, 자네같은 사람에겐 아주 나쁜것이라고!

나 형사…

정말 훌륭하신 형사님이시군요! 다른 사람들은 술이 나쁘다고 하지 않고, 제가 나쁘다고 하지 무여요, 글쎄!

……

벌떡!

술이 사람을 마시는 세상입니다. 광수생각 ENd

중학교 졸업할 무렵에 나는 나쁜 친구들(?)과 어울려
(그 녀석들이 나를 회고할 때도 나쁜 친구들 중 하나이겠지만)
말썽을 피운 적이 있다. 우리는 우리의 잘못을 용서받기 위해
각자의 부모님에게 몰려가 용서를 빌었고, 그때마다 부모님의 반응은
다 똑같았다. 우리 아이는 착한데 친구를 잘못 사귀어서 휩쓸리는
바람에 자신의 의지와 상관없이 말썽을 부리게 되었다는 것이다.
그건 우리 부모님도 마찬가지였고, 모든 부모님들의 공통된 의견이었다.
자신의 자식이 귀여운 것은 말할 나위가 없는 것이겠지만, 자신의 자식을
똑바로 보는 것이 자식의 교육을 위해서 가장 좋은 일일 것이다.
손바닥은 마주쳐야 소리가 나는 것이다.
그리고 발바닥도 마주쳐야 소리가 난다...

대비ㅎ하십시오. 사랑도, 우정도, 행복도...광수생각 END

아니, 능숙한 사랑 표현이 내게는 부자연스러운 것이다.
그래서 나는 늘 내 집사람에게도 타박을 당하며 하루하루를 보낸다.
난 하루살이다.

우리 작업실 바로 문 밖에 있는 조그만 소화기이다.
우리들 중 이 소화기를 사용할 줄 아는 사람은 아무도 없다.
아마 우리가 이걸 사용하게 된다면, 강도가 들어올 때
이 소화기로 강도의 머리를 때리는 데나 쓰지 않을까.
소화기는 우리에게 불을 끄는 가구라기보다는
무기 같은 느낌을 준다.

만나고 싶은 사람은 꼭 상황이 나쁜 자리에서 만나게 되고,
만나기 싫은 녀석은 만나면 안 되는 상황에서
만나게 되는 것은 내가 평소에 인복이 없는 탓일까?
아무튼 살아 있으면 좋은 녀석이든 싫은 녀석이든 다시 만나게 된다.
그러니까 서로에게 얼마간의 여지를 남겨두는 것은
자신에게도 좋은 것이다.

엄마, 나 궁금한거 있어...

뭔데...?

토끼가 가장 좋아하는게 뭐야?

그야, 홍당무지!

그럼, 다람쥐가 제일 좋아하는건?

그야, 도토리지!

그럼 엄마와 아빠가 제일 좋아하는건?

그야, 바로 너지!

그, 그럼, 엄마랑 아빠도 날 먹을거야...?

......

너는 내게 그렇게 왔단다. 세상의 빛처럼... 광수생각 TV

아주 오래전에 프랑스 파리로 유학간 일본인이
프랑스 여자와 사랑에 빠진 적이 있다. 그 둘은 너무너무 사랑했다고 한다.
그래서 좀 무서운 일이긴 하지만, 그 일본인 유학생은 그 사랑하는
프랑스 여자를 요리를 해서 먹었다고 한다.
나는 그때 그 이야기를 듣고 그 일본인 유학생이 미쳤다고 생각했다.
근데, 지금 나는 아침마다 내 아들 상준이와 내 딸 정인이를 갈아먹고 싶다.
그 일본인의 감정을, 완전하진 않지만 조금은 이해할 수 있을 것 같다.
어느 음료수 회사 사장은 과일을 너무 사랑한 나머지
'갈아 만든 과일' 시리즈를 만들어 내기도 했으니까 말이다.

훌쩍 당신은
어느사이 서른이 넘었습니다.

놀이가 없던 시절.
초인종 벨을 누르고
골목길을 누비던 그대…
자. 초인종입니다.
예전처럼 벨을
누르고 힘차게 뛰십시오.
오늘 하루. 모든것을
잊고…

다들 어디로 갔을까요? 그대 그친구들.. 광수생각ㅌ\

우리가 어렸을 때는 아버지가 아들에게 나무 총을 만들어
주는 게 큰 일이었다. 그때만 해도 지금처럼 방아쇠를 당기면,
"손 들어! 꼼짝 마! 삐웅-삐웅-삐웅..."
하는 음향 효과가 나는 총 따위는 없었으니 말이다.
그래서 어느 아이가 솜씨 좋은 아버지에게 멋진 총을 받아서
자랑하는 날이면, 아이들은 모두 자신의 아버지에게 달라붙어서
좋은 총을 만들어 달라고 조르곤 했다. 그때 우리 아부지는
내게 총을 만들어 주는 대신 큰형에게 총을 만들어 주라고
명령을 내렸고, 큰형은 총 만들어 주라고 받은 돈으로 하드를 사먹고,
하드 나무 껍데기로 총을 만들어 주었다.
언제나 동네 아이들이 모이면 내 하드 나무 껍데기 총은
놀림을 받았고 나는 총을 직접 만들어 주지 않는 아부지를 원망했다.
내 아들 상준이는 아마도 나무 총을 만들어 달라는 부탁 따위는
내게 하지 않을 것이다. 왜냐하면 지금은 아무도 하드 나무 껍데기 총을
갖고 노는 아이는 없으니까 말이다. 하지만 나는 지금 아이들이
최첨단 놀이 기구가 아닌 나무 총과 고무신을 뒤집어 만든 자동차,
그리고 연탄 깨기 놀이, 초인종 누르고 도망가기 등을 모르고 자라는
것이 오히려 안쓰럽게 느껴진다. 언제 동창회에 나가면
맨날 하는 술자리나 볼링 같은 운동보다 벨을 누르고 도망가던
예전의 놀이를 하자고 다시 제안해 보고 싶다.
그래서 지금은 많이 좁아졌을, 예전의 그 골목길을
친구들과 뛰어다니고 싶다.

겨울옷 정리를 했습니다. 남편 코트를 넣어두기에 앞서 주머니에 만원짜리 지폐를 한장 넣었습니다.

올 겨울 남편은 이 코트를 입었을때 주머니속 만원짜리를 발견하면 '횡재했다'며 기분이 좋아질겁니다. 그런 남편을 상상하니, 이 순간 저는 행복해집니다.

여보 힘내세요..

언제나 행복은 찾아오는게 아니라 만들어 가는 겁니다. 광수생각 E네 나는 옷을 갈아입을 때 주머니를 잘 살피지 않는 편이다.
그건 우리 집사람도 마찬가지인데, 덕분에 빨래를 한 후에
조각조각 난 지폐를 발견하는 일이 종종 있다.
그래서 우리 부부는 햇빛 좋은 날 마루에 누워서 뜻하지 않게
퍼즐을 하고 있는 경우가 있다. 오랜 시간 공을 들여서 조각 난 돈을
맞추어 거의 완성에 이르렀을 때 우리 부부는 서로 껴안고
기쁨의 눈물을 흘린다. 하지만 기쁨의 눈물도 잠시,
어디선가 나타난 상준이가 어느새 돈을 죄다 먹고 있는 것이다.
우리는 마치 일제시대 순사처럼 상준이 입 안에 있는 돈을 꺼내어
또다시 퍼즐을 맞추느라 안간힘을 써야 했고, 그 동안 상준이는
소파에 묶여서 우리들이 퍼즐을 하고 있는 것을 보고 있어야 했다.
상준이가 돈을 먹는 걸로 봐서 상준이는 아마도 전생에
독립 투사였던 것 같다.

나는 정부에서 하는 광고는 다 싫어한다. 그게 정부에서 하는 광고여서가 아니라, 왜 그런지 정부에서 하는 광고는 늘 촌스럽고 늘 재미없었기 때문이다. 하지만 단 한 번 나를 사로잡는 광고 카피가 있었는데, 그 카피의 내용은 지금도 너무 선명하다. "지금 당신은 박찬호를 혹시 아인슈타인으로 키우고 있지는 않습니까?"

욱재가 가져온 비벨이다.
사무실에 놓고 운동을 하겠다는
의지에서 가져온 것인데,
우리는 베란다 문 고정시키는
데에만 쓴다.

주희야, 오랜만이야. 니 남편은 잘 지내고 있니?

그럼. 우리 남편이 다니는 곳은 감원이 없는 곳이거든..!

우리의 남편..

이야- 좋은 회사에 다니는 구나! 우리 그이는 힘들어서 쩔쩔매는데..

도대체 무슨 회사야..?

으응. 아직 학생이야..

....

살아보니, 학생때가 맘이 제일 편합니다. 광수생각 END

나는 학생 때 결혼했다.

그때가 대학교 3학년을 마치고 군대를 갔다온 후

4학년으로 막 복학하기 직전이었다.

그래서 나는 학교에 나오기가 창피했다.

지금도 그렇지만 예전에도 학생이 결혼하는 일은

별로 없었기에 왠지 학교 나가기가 쑥스러웠다.

학교를 다니면서도 나는 일러스트레이터로 활동하고 있었기

때문에 벌이가 괜찮았었고, 학생이라는 이유로 집으로부터

생활비를 보조받을 수도 있었다. 지금 생각해 보면, 내 인생에

있어서 그때가 가장 한가롭고 여유로운

시간이 아니었나 싶다. 내가 다시 태어난다면 대학교 2학년 때

결혼을 하겠다. 한가로운 시간을 일 년 정도 더 연장시키고

싶기 때문이다.

아부지가 어느 날 짐을 싸기 시작하셨다.

그리곤 갑자기 평소에는 하지 않던 가족 회의를 소집하시고는

아주 비장한 목소리로 우리에게 말씀하시기 시작했다.

"너희들에게 숨겨서 미안하다. 우리는 외계인이다.

내가 지구로 온 지 육십여 년이 훨씬 지났고, 이제 나는 지구 조사

임무를 끝마쳤다. 이제 우리는 우리들의 고향인

안드로메다로 돌아가야 한다."

나는 아부지가 언젠가는 내게 이런 말씀을 하실 거라는 망상에

사로잡혀 있다. 그래서 아부지가 비오는 날 신경통 때문에

창 밖을 내다보고 계시면, 드디어 아부지가 내게 사실을

고백하려나 보다 하고 엉뚱한 상상을 하며 아부지의

입만 쳐다본다.

애기를 가졌을 때 좋은 것만 먹고, 좋은 것만 생각하고,
좋은 것만 보면, 예쁜 아이를 낳는다는
이야기가 있다. 그래서 우리는 첫아이를 가졌을 때
정말로 좋은 것만 먹고, 좋은 것만 생각하고, 좋은 것만 보려고
노력했다. 그래서 우리는 이쁜 상준이를 낳았다.
거의 대부분의 사람들이 처음에는 열심히 노력하지만,
두 번째에는 처음만큼 노력하지 않게 된다. 그래서 두 번째에는
날 닮은 딸, 정인이를 낳았다.

아이구, 신영감님 나오셨어요!

그래, 머리 스타일 좀 바꾸러 볼려고…

어떻게 해드릴까요?

응, 오늘은 가리마를 가운데로 타주…

신영감님 머리카락 수가 홀수라 조금 어렵겠는데요…

…

우리들의 마음도 머리다듬는 것처럼 바꿀수 있다면 얼마나 좋겠습니까. 광수생각EN

결혼하기 전 내 용돈의 가장 큰 재원은 우리 엄마의 머리였다.

엄마는 시간이 날 때마다 날 불러 앉히시고, 내 무릎을 베고

기분 좋은 얼굴로 누우셨다. 그러면 나는 마음의

각오를 다지면서 손을 풀기 시작했고, 귀신 같은 솜씨로 엄마의

흰머리를 찾아내서 뽑기 시작했다. 한 개에 백 원.

당연히 열 개에 천 원. 나는 언제나 만 원쯤을

목표로 엄마의 흰머리를 뽑기 시작하지만 오십 개가 넘어가기

시작하면서부터는 목도 아프고, 인내심도 한계에 다다르기 시작해서

그쯤부터 할증 요금을 적용하기 시작한다. 그래서 한 개에 이백 원이나

엄마의 기분 상태를 봐서 오백 원을 매길 때도 가끔 있다.

그렇게 하기를 두어 시간, 엄마는 흰머리가 없어져서 좋다며 내게

만 원이나 이만 원쯤을 용돈으로 쥐어 주시면서 기뻐하셨고,

나는 기쁜 나머지 엄마의 흰머리가 빨리빨리 또 자라나서 내 주머니를

두둑하게 해줬으면 하는 생각을 하게 된다. 나의 그 못된 바람 때문인지

지금 엄마는 머리에 흰머리가 가득하시다. 하지만 나는 지금 엄마의

흰머리로 용돈을 마련하지 않는다. 왜냐하면 이제는 검은 머리보다

흰머리가 더 많기 때문에 뽑을 엄두를 안 내시기 때문이다.

나는 그제서야 예전에 내가 가졌던 생각들이 얼마나 어리석고 바보 같은

것이었는지 깨닫게 되었다. 나는 기도한다.

내 용돈이 줄어든다 해도 엄마의 검은 머리를 다시 보고 싶다고...

내가 조선일보에 처음 연재한 것은 1997년 4월 4일이다.
나는 그날부터 지금까지 연재를 계속하고 있지만
나는 <u>맹세코 이렇게 오랜 시간(?)</u> 동안
연재할 것을 생각하지 못했다. 모두 내가 6개월을 넘기지 못하리라고
생각했었고, 나 자신도 당연히 그러하리라 생각했다.
그래서 보통 새로운 연재물이 시작되면 사장님에게 보고하기
마련인데, 조선일보 문화부에서는 내가 짤릴 것을 예상하고
아예 보고조차도 안했다고 한다. 하지만 나는 불행인지 행운인지
지금까지 목숨을 연명하고 있고, 그 사이에 연재 일 주년을 맞게 되었다.
<u>어디에서나 살아남는다는 것</u>은 나름대로의
의미와 기쁨을 준다. 어디에서나 살아남기 위해서는 나름대로의
노력과 열정이 필요하다. 나는 매일 살아남고 싶다.

가수 이소라 씨와 밥 먹으러 갔다 얻은 고깔모자.
생일이면 조그만 케익을 준다는 이소라 씨의
감언이설에 속은 왕머리 신진택은 종업원에게
생일이라고 속이고, 그 큰 머리로 조그만
고깔 모자를 쓰고 수줍은 미소를 머금은 채
생일 노래를 불렀다.

여보, 우리 애도 점점 크는데, 성교육을 해야하지 않을까요..?

그. 그래... 하지만 어떻게 말을 꺼내지...?

솔. 솔직하게 말해 주는게 좋겠어요

음...

얘야. 너도 이제 다 자랐으니. 사람의 생리적인 현상에 대해 엄마랑 아빠랑 얘기할 때가 온것 같구나...

여보 화이팅!

어색..

.....

.....

좋아요. 두분이 알고 싶은것이 뭔지 얘기해 보세요.

아이들은 우리들의 생각보다 훨씬 빨리 자랍니다. 광수생각.E

지금 상준이는 나에게 사과가 그려진 그림책을 펴들고 '사과' 라는 말을 배운다. 상준이는 '사과' 라는 말 따위는 곧잘 하지만, '파인애플' 같이 발음하기 어려운 단어들을 말할 때는 심각한 표정을 짓는다. 나는 상준이가 정확한 발음을 할 수 있도록 파인애플을 이해시키는 데 어마어마한 시간이 걸린다. 하긴, 녀석은 아직 파인애플을 먹어 본 적도 없다. 그런데 이애가 조금 더 자라서 동생은 황새가 물어다준 것도, 다리 밑에서 주워 온 것도 아니라는 것을 이해시킬 생각을 하니, 앞이 까마득하다.

그 사람을 남편으로 삼지않고 놔두기엔 당신에 대한 사랑이 너무 큽니다.라고생각.타

누군가 나에게 이런 얘기를 한 적이 있다.

여자는 비정상적인 남자를 싫어한다고.

하지만 자신을 위해 남자가 비정상적인 사람이 되는 것은 좋아한다.

남자는 강한 여자를 싫어한다.

하지만 자신을 위해서는 여자가 강해지는 것을 바라는 것이

남자라는 이야기를 들은 적이 있다.

결국 사랑이라는 미명 하에 우리들은 백년가약을 맺지만

사는 동안에도 자신의 이익에 너무 많이 집착한다.

이익에 집착하지 않는 삶이 행복한 결혼 생활을

영위할 수 있게 해주는 것이라고 생각한다.

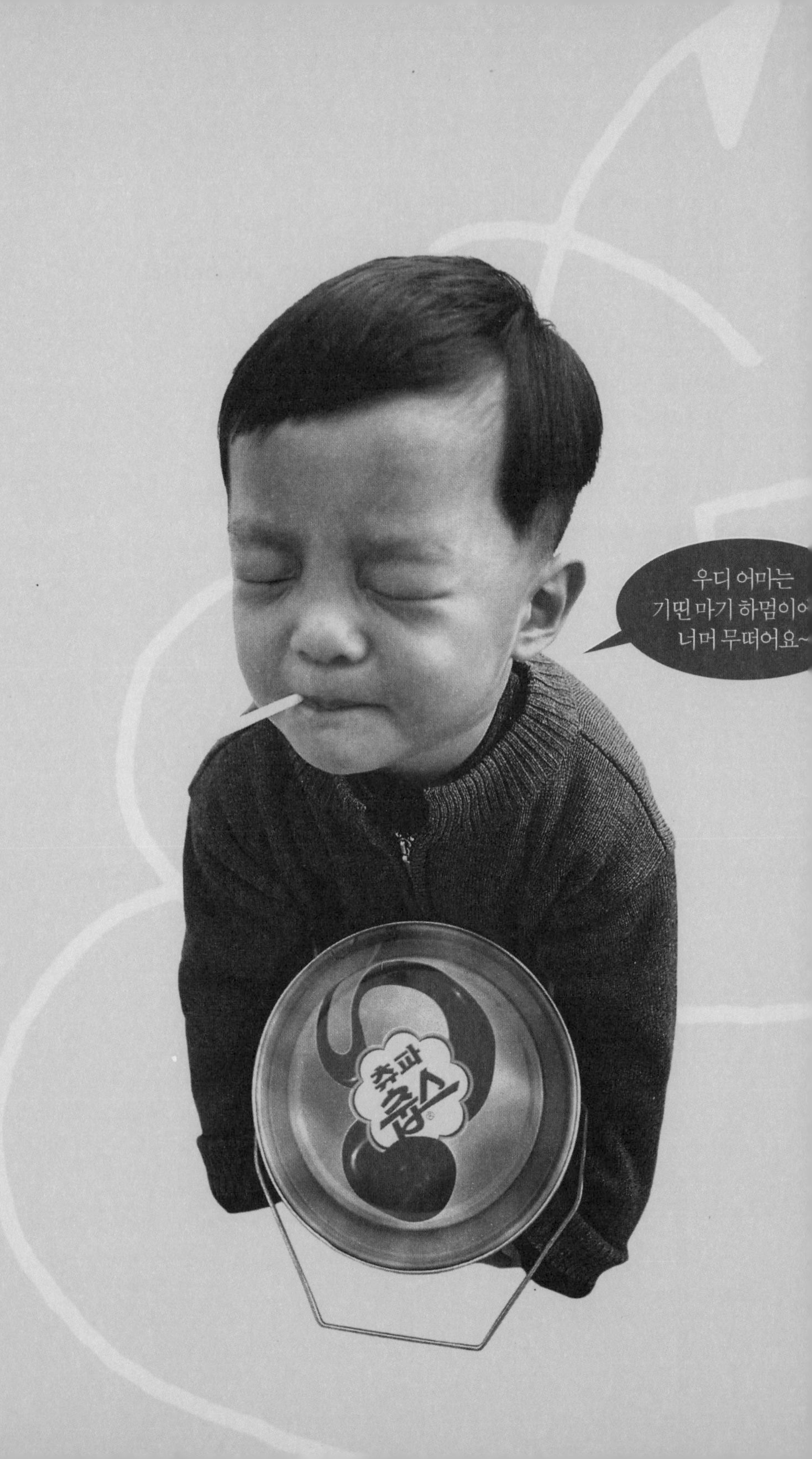

주 : 우리 엄마는 귀신 마귀 할멈이에요, 너무 무서워요.

t⁴

빼질이와
톡톡이

나는 이 글을 쓰는 근 3주 간은 거의 죽을 맛이었다. 유서를 쓰는 것보다 백 배쯤은 어려웠으니... 아마도 이런 글을 쓰는 것도 이번이 마지막일 것 같다.

어느 10월 목요일. 나는 자주 들르던 디샵(광수의 작업실)을 광수 얼굴이나 보러 별일 없이 찾았다. 녀석과 캔커피를 한잔 마시며 늘상 나누던 얘기를 하고 있었는데 광수가 뜬금없이 자기 책에 글을 써 달라는 것이었다. 사실 글이라고는 연애 편지 한 장을 제대로 써보지 못한 나에게 무슨 생각으로 이런 부탁을 하는지 알 수는 없었지만, 이번 기회에 후세에 남길 만한 기록을 남겨 보리라는 환상에 그 자리에서 오케이를 하고 말았다.

나와 광수는 아주 오래전부터 알고 지내온 친구 사이이다. 좀더 정확히 말하자면, 고등학교 시절부터 알고 지냈다. 처음 봤을 때 녀석은 가수 조영남을 연상케 했었다. 늘 미군 야전 잠바에 국방색 가방을 걸치고 다니며 10년이나 지난, 제목도 모를 70년대 가요를 흥얼거리고 다녔으니까... 참으로 특이한 녀석이었다. 한대수, 이장희, 김민기, 양희은, 오세은 등의 노래를 늘 부르고 다녔던 녀석의 모습이 희한하기도 하고 재미도 있어서, 나 역시 녀석과 함께 청계천을 헤매며 LP를 모으곤 했다. 추운 겨울날 눈을 맞으며 판을 구하다가 좋은 판 하나를 구하게 되면, 차비가 없어도 마냥 행복해 했던 기억들이 지금도 생생하다. 광수와 나의 고등학교 시절의 추억은 그렇게 학교가 아닌 청계천 벼룩시장에서 쌓여 갔다.

광수는 세상에서 제일 맛있는 것은 육개장과 라면이라고 했다. 어느 날 나는 광수의 집에 놀러 가게 되었는데 광수는 '맛있는 라면을 끓여 주마' 하며 장롱 속에서 라면과 콜라를 꺼내는 것이었다. 나는 그런 모습을 보고 웃지 않을 수 없었다. 내가 아는 상식에서 '장롱' 이라는 것은 옷과 이불 따위를 넣어두는 곳인데, 광수의 장롱은 라면과 콜라와 만화책으로 가득차 있었던 것이다. 지금도 이런 얘기를 광수의 처에게 하면 '지금도 그래요. 광수 오빠 원래 그렇잖아요' 라고 웃으며 말한다. 그렇다. 광수는 원래 그런 녀석이다.

내가 살아가면서 광수와 오래도록 친구가 될 수 있었던 것은 광수가 언제나 진실한 인간(?)이었기에 가능한 일이었던 것 같다. 화려한 옷을 사기보다는 희한한 장난감을 더 좋아하고, 부자인 친구를 사귀기보다는 재미있는 친구를 사귀는 녀석을 난 참 좋아한다. 그러나 녀석이 언제나 좋은 모습만 갖고 있는 것은 아니다. 녀석의 장난기는 나를 가끔 황당하게 만든다. 늘 둘만 함께하고 싶은 나의 신혼시절에도 녀석은 가끔 새벽 두세 시에 찾아와 라면을 끓여 달라고 조르기도 하고, 술을 먹고 찾아와 나의 처가 누워 있는 방에 들어가 옆에 누워버려, 나의 처를 놀라게 한 적이 한두 번이 아니다. 아마 내가 선이라도 보고 결혼을 했더라면 나는 녀석의 행동 때문에 이혼을 당했을지도 모르겠다. 다행히 녀석의 처와 내 처가 서로 친한 사이이기에 광수의 엉뚱함을 알고 그냥 넘어간다.

나는 가끔 일이 힘들거나 짜증이 날 때 광수의 작업실에 놀러간다. 광수의 작업실에는 어렵거나 복잡한 것은 하나도 없다. 장난감, CD, 야구 장비, 오락기, 잡지... 그러한 것들이 전부다. 그 안에 있으면 복잡했던 일들을 모두 잊어버린다. 나는 가끔씩 광수와 종로 거리를 헤매고 다니곤 한다. 함께 걸으며 어린애처럼 뽑기도 하고 떡볶이도 사먹고, 이런 저런 얘기를 허물없이 하고 돌아다니다 보면, 그날 하루는 그 자체로 뿌듯해지곤 한다. 또한 잊고 살아왔던 것을 다시금 생각하게 한다.

나는 이 글이 끝나면 녀석의 작업실로 갈 것이다. 라면 세 개를 사들고...

광수의 불알 친구 | 김영복

팝콘처럼 부풀었던 연애의 흔적들은 이제 다 사라졌습니까? 광수생각[E]

결혼할 때 우리는 수많은 사람들 앞에서 맹세를 한다.
검은 머리가 파뿌리가 될 때까지 함께할 거라고.
우리가 그 맹세를 지키기 위해서는 결혼할 때 꼭
파뿌리를 사가지고 가야 한다. 내가 아는 한 우리의 검은 머리가
파뿌리가 되는 일은 없을 테니까 말이다.

내일..

얘야, 내일이면 우리 광주로 이사 간단다. 그러니까, 오늘은 일찍 기도하고 일찍 자렴!

알았어요, 아빠!

하느님. 오늘밤 자고나면, 내일은 광주로 이사를 가요. 그동안 정말 감사했어요. 그럼 안녕히 계세요. 아멘!

사랑, 내가 어디에 있어도 늘 지켜주세요. 광수생각 EV

나는 신을 믿지 않는다.
하지만 내가 그럼에도 불구하고 극악무도한 짓을
하지 않는 것은 신과는 다른 그 무언가가 하늘에서 나를 늘
내려다 보고 있다는 생각을 하기 때문이다.
그것은 어쩌면 내 자신일 수도 있고, 그것은 또 어쩌면 우리 부모님이
내게 바친 땀과 눈물이 만들어낸 알 수 없는 형상일지도 모른다.
그래서 나는 서울에서 살다 광주로 이사를 가도
그렇게 극악무도한 녀석으로 변할 것 같진 않다.

경찰서 따르릉!

예, 경찰서입니다!

예, 경찰서죠? 제가 술한잔하고 차에 왔더니, 도둑놈이 제 차안에 있는걸 죄다. 훔쳐갔어요. 세상에, 카오디오, 핸드폰은 물론이고, 핸들하고 기어, 심지어 페달까지 전부 떼어갔어요. 빨랑출동하셔서 이 도둑놈을 좀 잡아주세요!

예, 즉시 출동하겠습니다!

잠시후... 따르릉!

경찰서

예, 좀 전에 전화한 사람인데요, 출동 안 하셔도 괜찮게 됐어요. 앞 자리에 앉으니까, 없어졌던 것들이 죄다 다시 나왔어요...

술이 도둑입니다.광수생각.E

난 경찰서에 가는 것을 매우 싫어한다.
나는 가끔 내 자동차 고지서나 예비군 훈련 기피 때문에
경찰서를 찾게 되는데, 경찰들의 자세라는 게
너무나도 고압적이다. 물론 내 잘못으로 경찰서를
찾게 되는 것인데, 내가 이미 주눅이 들어 있음에도 불구하고,
그들의 행동은 너무나도 권위적이고, 고압적이다.
그런 경찰들의 자세를 보면 다시는 경찰서에 가는 일이 없도록
해야겠다는 생각이 든다. 그들의 그러한 행동이 다시는
경찰서에 가지 말아야지' 하는 생각이 들게끔
선도적인 입장에서 하는 거라면 박수를 받아 마땅하지만,
그렇지 않다면 좀더 친근한 경찰로 기억되게
해주었으면 한다. 생전에 경찰의 웃는 얼굴을 보고 싶다면
너무 지나친 욕심일까?

예전 한강변 오피스텔에 있을 때 가수 동물원 형들하고
삼겹살에 소주를 먹은 적이 있다. 그때 찾아온,
김광석의 '서른 즈음에'를 작사, 작곡한 승원이 형이 가져온 와인이다.
나는 그 와인을 단 한 방울도 마시지 않았다.
와인을 아껴서가 아니라 와인을 싫어하기 때문이다.

대가를 바라지 말고 주십시오. 사랑도 우정도… 광수생각. 타

박세리 선수와 박세리 선수 아버지가 텔레비전에 나왔다.
누구나 궁금해 하는 질문들이 줄을 이었고, 그 질문의 내용은
한결같이 '박세리 선수의 이상형은 어떤 사람인가' 와
'아버지가 박세리 선수를 몇 살쯤에 시집을 보낼 것인가' 하는 것이었다.
'어떤 사윗감을 바라느냐' 에 대한 대답은 편집되어 나오지 않았고,
결혼 시기를 묻는 질문에 박세리 선수의 아부지는, 결혼 시기는 박세리
선수가 원하는 시기에 결정할 거라고 자신있게 말했다. 그리고 그 말
말미에는 단서 조항이 하나 붙었는데, 그 단서 조항이라는 게 운동선수는
'운동할 때' 가 있는 법인데, 박세리 선수의 아버지가 말하는 박세리 선수의
'운동할 때' 는 앞으로 십 년 동안이라는 것이었다.
그래서 그 기간에는 다른 생각하지 않고 운동에만 전념하기를 바란다고
했다. 지금 박세리 선수의 나이가 스무 살. 십 년 후라면,
박세리 선수는 서른 살이 된다. 그렇게 된다면, 보통 여자의
삶으로는 매우 늦은 결혼이 되는 것이다. 나는 아직 내 딸이 어려서
느끼지 못하는 것 같지만, 세상의 모든 아버지들은 자신의 딸이 자신을
떠나지 않기를 바라는 모양이다. 사위라는 사람도 자신 외에
또 다른 남자이니까...

방 정리를 하다 예전에 당신이 내게 주었던 책을 발견했습니다.

책에는 분명 다른 내용이 있을텐데, 내겐 당신과 나의 이야기만 있는 듯 했습니다.

책은 가끔 내게 추억을 이야기 합니다. 광수생각.ⓣⓝ

나는 누구의 생일 때나 기념일 때 책 선물을 잘하는 편이다.
세상에서 가장 성의없는 선물이 책방에서 '대충 고른 책' 같아서
늘 책을 살 때마다 망설이곤 하지만, 또 많은 의미를 담을 수 있는 것이
책이기도 한 것 같다. 나는 서른 해 동안 살아오면서 '어린 왕자'만 일곱 번
정도 선물을 받았다. 같은 책이라 한 번 읽으면 읽지 않을 것 같지만,
매번 준 사람이 다르기 때문에 나는 그 책을 선물 받을 때마다 읽곤 했다.
우리 사회에서 선물 받는다는 일이 흔하지 않기 때문에, '어린 왕자'는 생일
때 받는 일이 많았고, 십 년이 넘는 기간 동안 받았지만 늘 읽을
때마다 새롭게 해석되었다. 그래서 어린 왕자는 내가 가장 많이 갖고 있는
책이기도 하고, 내가 가장 좋아하는 책이기도 하다. 어린 왕자 말고
내가 가장 좋아하는 책은 내가 한때 좋아했던 사람에게 받았던
헤르만 헷세의 '유리알유희'라는 책이다.
그 책은 두께도 굉장히 두꺼울 뿐만 아니라 글자도 무지하게 깨알 같다.
실제로 책을 펼쳐 놓고 깨알을 뿌리면 글자들이 보이지 않았으니까 말이다.
나는 그 책을 세 번이나 읽었다. 내가 좋아하는 사람이 내게 줬던 선물이므로
책에 어떤 복선 같은 것이 깔려 있을까 봐 세 번이나 읽었던 것이다.
하지만 나는 세 번이나 읽었음에도 불구하고 주인공 이름도 기억하지 못한다.
주인공 이름이 워낙 길기도 했지만, 단숨에 읽을 수 있을 만큼 짧은 소설도
아니었기 때문에 읽다가 며칠 쉬곤 했는데 그러다 보면 다 읽은 내용도
어떤 내용인지 전혀 알 수가 없었다. 내가 그녀와 헤어질 수밖에
없었던 첫 번째 이유는 바로 이것이 아니었나 싶다.
그녀가 내게 줬을지도 모르는 메시지를 읽을 수 없었으니까...
나는 아직도 그 책을 가지고 있다. 여전히 읽을 엄두는 안 나지만 좀더
나이가 들고 그 글들을 이해할 수 있고, 아주 한가로운 시간이 된다면
기분 좋게 그 소설의 첫 페이지를 열고 싶다.
그때는 그 주인공의 이름을 기억할 수 있을까?

여보, 당신이 낳아준 애들은 나랑 너무 안 닮았어! 혹시 병원에서 바꾼건 아닐까?

그게 무슨 소리예요! 자는 모습을 찍은 사진이니까. 보고 생각을 바꾸세요!

내사진

안 닮았다는데 사진은 무슨 사진…?

?

애들아 의심해서 미안해…

…

ㄹㄹ

ㄹㄹ

ㄹㄹ

맞죠…!

우리 아버지는 제 코고는 소리를 대견스러워 하십니다. 광수생각 [t]

작업을 하다 보면 집에 늦게 들어가는 일이 많다.

늦게 들어간다는 시간이 열 시, 열한 시 정도가 아니라 거의가
새벽 네 시경이고 때론 <u>아침 신문과 함께 들어가는
경우</u>도 있다. 그래서 집사람과 아이들은 늦은 시간까지 나를
기다리는 것을 포기하고 항상 먼저 잠이 들곤 한다. 그렇게 피곤한
몸을 이끌고 <u>새벽에 집을 들어설 때쯤</u>이면
내가 왜 이렇게 힘들게 살고 있나 하는 생각도 들고,
이것이 대체 누구를 위한 삶인가에 대해서도 의문을
갖게 된다. 그런 의문과 함께 아파트 문을 열고 불이 다
꺼진 방 안으로 들어서면, 집사람과 아들, 딸 셋이 나와 똑같은
폼으로 잠들어 있는 모습을 발견하게 되고, 그 순간 내가 문을
열기 전에 가졌던 의문들은 순식간에 사라져버리고 만다.

<u>나는 나와 내 가족을 위해서 산다.</u>

아들 상준이는 사무실에 오면 광장히 심심해 한다.
그래서 오래 걸리지 않아 울음을 터뜨리고 마는데
그 울음을 막기 위해 내가 제공하는 사탕들이다.

자네, 집사람에게 생활비를 주이라고 그러셨다며…

응… 내 월급도 주고, 보너스도 끼이고 해서…

그래, 잘되고 있나…?

응, 나름대로… 내가 담배랑 포커를 끊었거랑…

….

바보..

팍팍 시켜..

약속 하겠습니다 가족에 대한 사랑은 줄이지 않겠습니다.광수생각.타

나는 담배를 안 피운다.

대부분의 사람들이 만화 작업을 하면 하루에 서너 갑 정도의 담배를 피울 거라고 생각하지만 나는 담배를 피우지 않는다. 내가 담배를 피우지 않는 것에 대해서 대부분의 사람들은 의외라는 반응을 보이면서 담배를 피우면 군것질을 안하게 되어서 살이 빠질 거라는 이상한 말로 날 유혹하곤 한다.

하지만 담배를 피우지 않는 것은 이미 중학교 때 내 스스로 내 자신에게 했던 약속이기 때문에 죽는 날까지 지키고 싶다. 그때 나는 말썽을 많이 피웠기 때문에 과연 나에게 내 스스로의 신념 따위가 있는지 굉장히 궁금했었고, 그 신념을 스스로 시험하기 위해서 담배를 피우지 않을 것을 약속으로 정한 것이었다. 당시 나는 어린 나이였지만 주변의 친구들이 모두 담배를 피우고 있었기 때문에 담배에 대한 유혹이 많았었다. 그럼에도 불구하고 지금까지 그 유혹에 한 번도 넘어가지 않고 잘 버티고 있는 내 자신이 나는 매우 대견스럽다. 나는 죽는 날까지 담배를 피우지 않을 것이다. 그 이유는 스스로의 약속도 있지만 어느 한 부분이라도 내가 나를 대견스럽게 여기는 구석이 남아 있기를 바라는 마음 때문이다.

세월이 고맙게 느껴질 때쯤이면
이미 많은 세월이 지난 후겠지?
그래서 늘 지난 세월들을 그리워하면서
삶을 마감할 준비를 하고 있겠지?
그때쯤이면 내가 편안한 마음으로
내가 잊고자 하는 것들을 모두 잊고 살 수 있을까?
그때도 나는 지금처럼 내가 잊고자 하는 것들을
하나도 잊지 못하고 살면 어떡할까?
나는 아무 것도 잊을 수 없을지 모른다.
지금처럼 그때도 모든 것을 안고 살아갈지 모른다.
나이가 들어 세월이 고맙게 느껴지면 좋겠다...

우리 작업실 벽에 붙어 있는
일명 개뼈다귀 시계이다.

아빠도 가끔은 집안에서 뒤뚱여 놀고 싶습니다.광수생각.EN..

나는 어렸을 때 내 주변의 친구들이 늘 그랬던 것처럼,
아부지 구두를 열심히 닦고 문앞에 서서는 아부지가 출근하시면
웃는 얼굴로, "아부지 백 원만!" 이라고 얘기했다.
그러면 아부지는 구두 상태를 살피시고는
"아! 우리 아들이 밥값 하는구나!"
하시며 한 삼백 원쯤 내 손에 꼭 쥐어 주셨다. 초등학교 입학하고
중학교에 들어가고 고등학교에 들어가서도 나는 어렸을 때 말했던
"아부지 백 원만!" 이라는 말이 입에 붙어서 언제나
"아부지 백 원만!" 하고 외쳤다. 그렇게 언제나 "아부지 백 원만!" 이었지만
아부지는 내 연령대에 맞춰서 초등학교 때에는 오백 원을, 중학교 때에는
천 원을, 그리고 고등학교 때에는 오천 원쯤을 내 손에 쥐어 주셨다.
그렇게 지내다 나는 대학 때에도 여전히 아부지에게 "아부지 백 원만!" 을
외쳤고, 아부지는 웃으시면서 내게 다가와 내 손에 백 원짜리
한 개를 꼭 쥐어 주셨다. 우리는 언제나 사실만을 얘기하지
않지만 그 사람들이 말하고자 하는 진실을 대충 알고 있다.
하지만 우리는 액면 그대로만 받아들이려고 하는 경우가 있다.

세상에서 가장 행복한 때는 사랑할 때입니다. 광수생각. 타베

희정이는 내가 밤 열두 시를 넘기면 바가지를
긁는다. 희정이는 나랑 결혼한 지 5년이 되었지만, 우리 엄마만큼
음식을 만들지 못한다. 희정이는 일주일에
한 번 정도 영화관에 가서 영화를 보여주지
않으면 화를 낸다. 희정이는 화장을 잘할 줄 모른다.
희정이는 내 만화를 열심히 보지 않는다.
희정이는 내가 자신을 얼마만큼 사랑하는지도 모른다.
희정이는 지금 내가 어떤 일들을 진행하고 있는지에
대해서도 관심이 없는 것 같다.
희정이는 무릎 나온 바지를 내가 싫어하는데도
아깝다며 입는다. 희정이는 내가 된장찌개가 맛있다고
하면 일주일 내내 된장찌개만 끓여준다.
나는 그런 희정이를 사랑한다.
아마 사랑하는 이유를 대는 글을 썼더라면 더 많은 글들을
썼을 것이다. 내가 희정이를 사랑하는 이유는 그녀가
희정이이기 때문이다.

큰일입니다 직장을 잃은지 한참 백지수표라도 한장 있으면 좋겠습니다.

톡 톡

받으세요. 아빠!

이게 뭔데…?

아빠, 돈 필요 하잖아… 내가 만든 백지수표야!

고마워. 아빠가 아주 잘 쓸게! 근데 아빠에게 진짜 백지수표는 너야…

울지마 아빠…

오늘도 아이를 위해서라도 열심히 뛰십시오. 광수생각. 타임 우리는 일요일마다 아부지 집에 간다.

최근 일요일에도 우리는 최면에 걸린 것처럼,

아침에 부산을 떨며 아부지 집에 가기 위해 준비를 했고,

여느때처럼 서둘러서 집을 나섰다.

집사람은 딸아이 정인이를 안고 차쪽으로 가고 있었고,

나는 며칠 전에 집에서 가지고 온 김치를 다 먹고, 빈통이며

여러 가지 짐들을 양손에 들고 앞장을 서고 있었다.

맨 뒤에 큰아들 상준이가 열심히 따라오고 있었는데,

거리가 어느 정도 벌어졌을 때 상준이가 내게 외치는 소리가 들렸다.

"아빠, 같이 가!"

상준이는 우리 나이로 세 살이긴 하지만 아직 두 돌도

지나지 않았기 때문에 무늬만 세 살인 녀석이다.

그래서 나는 그 녀석이 '아빠, 같이 가' 라는 말을 했을 때

깜짝 놀랄 수밖에 없었다. 내가 모르는 사이에 상준이는

새로운 말들을 계속해서 익혀 나가고 있었던 것이다.

나는 매우 기분이 좋아졌고 속으로 다짐했다.

'그래, 언제나 너와 함께 가마!'

어느 환경을 좋아 하십니까? 그럼 알아서 잘하세요. 광수생각.E냐

어쩌면 환경이 급변하는 것에는
적응할 수 있을지도 모른다. 하지만 내가
사랑하는 사람들과 헤어져서
살 바에는 천당이든 지옥이든 없었으면 한다.

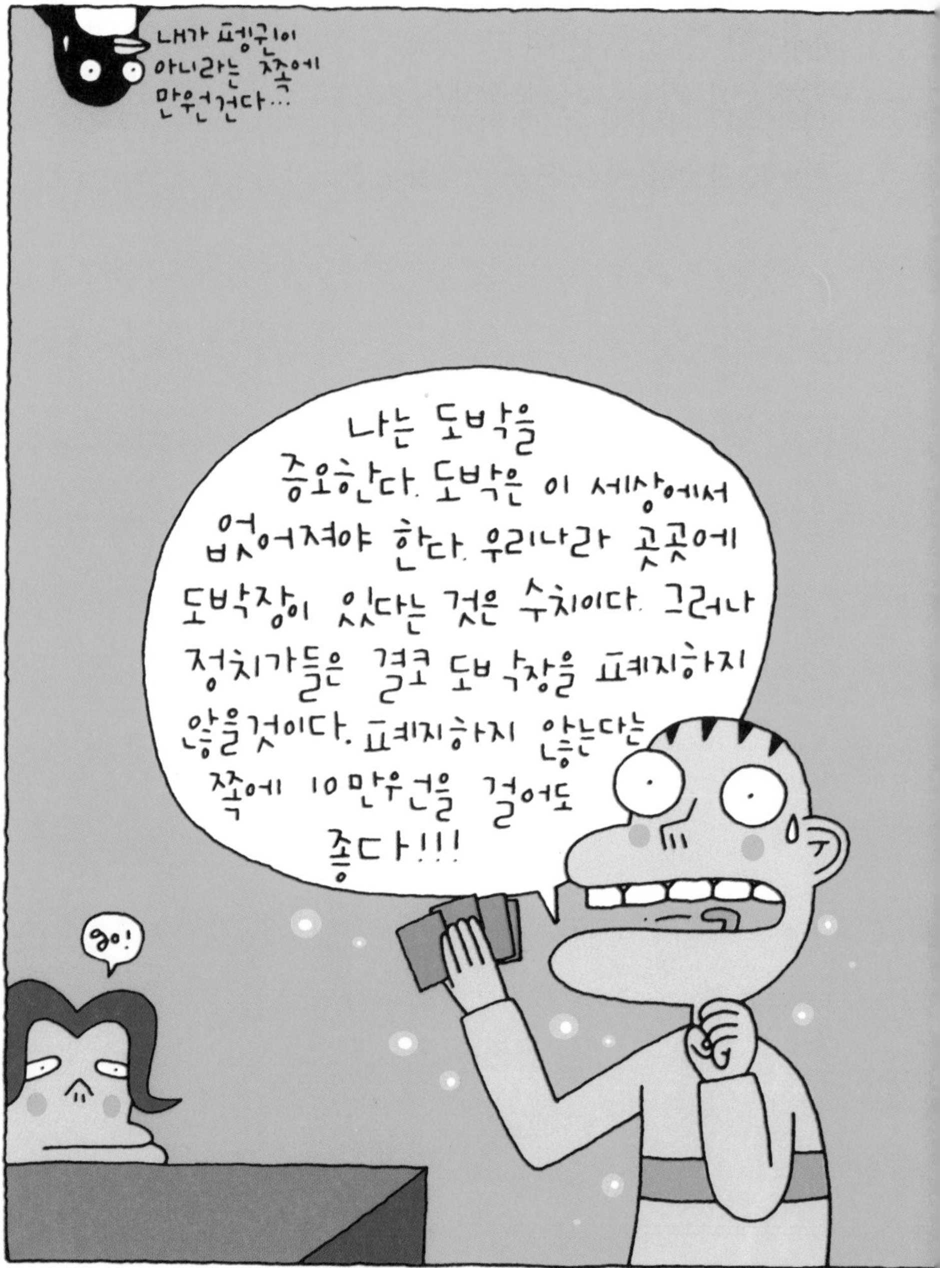

오늘 아침에는 흔들고 출발하겠습니다. 광수생각.

뺀질이 영복이와 일본엘 갔다.
이건 비밀인데, 뺀질이 영복이는 도박을 좋아한다.
이 사실은 당신만 알고 있어야 한다. 이 사실이 알려지면 영복이는
나를 가만 두지 않을 것이다. 뺀질이 영복이는 그나마 미국에서
일 년 정도 살았기 때문에(뺀질이 영복이는 그 기간을 '유학'이라고
말하지만 나는 절대 '유학'이라고 생각하지 않는다)
영어를 웬만큼 하는 편이다. 그런 반면 나는 음료수 '맛쪼니'를
'맛소쪼니'라고 읽을 만큼 영어는 물론이고, 일어도 '스미마센' 하나밖에
모른다. 그런 내가 낯선 일본 땅에서 영복이와 다음날
'아끼하바라'에서 만나기로 했는데, 뺀질이 영복이는 '빠찡고'를 하느라,
약속 장소에 나오지 않았다. 나는 눈물이 날 것 같았고,
어찌어찌하여 영복이가 있는 '빠찡고' 장소까지 찾아가게 되었다.
우리는 다시는 보지 않을 것처럼 싸움을 했다.
하지만 나는 아직도 뺀질이 영복이를 만난다. 아니, 만나는 정도가
아니라 더 친하게 지내고 있는 것 같다. 그렇게 나는 영복이를 알아가고
있는 것이다. 그리고 지금 내가 말한 것은 절대 비밀이다.
영복이 아부지가 알면 영복이는 아마 죽도록 맞지 않을까?

우리는 요즘 화투를 새로 디자인하고 있다.
그래서 사무실에는 화투가 많이 돌아다니는데
사람들은 우리 사무실에 올 때마다
우리가 매번 화투를 치고 있다고 생각한다.

무늬만 양심 아닌가요…? 광수생각.ENB

마치 약사 면허증처럼,
사랑 면허증이 있다면 얼마나 좋을까?
그래서 상처받은 사람들을 적절한 처방으로 낫게 해주고,
예방도 해주는, 그럴 수 있는 기술을 인정해 주는
면허증이 있다면, 나는 꼭 그 면허증을 따고 싶다.
언제나 처방에 의해서만 살라는 법은
없는 것처럼...

…

당신이 정말 훌륭한 점쟁이면 나에 대해 맞춰 보시오!!

그럴까요…? 그러면… 우선 당신은 세 아이의 아버지입니다.

그것 보라구, 벌써 틀렸어! 나는 네 아이의 아버지란 말이오!!

그것은 당신이 그렇게 생각하고 있을 뿐이오!

…

믿음속에 행복은 점점 커져갑니다. 광수생각 EN

요즘 나는 친구 뺀질이 영복이와 술을 먹다 집에 늦게
들어가는 경우가 빈번해졌다. 뺀질이 영복이의 집사람인 효재 씨와
나의 처 희정이는 긴밀한 관계를 유지하고 있기 때문에
늘 정보를 공유하곤 한다. 실상 영복이와 밤새워 술을 먹는 경우라도
특별한 곳(?)에 가는 것이 아니라, 내 작업실 근처에 있는 투다리
(닭꼬치와 오뎅 등등을 파는 곳이다)를 이용하는데도, 집사람들은
그렇게 생각하지 않는 모양이다. 그래서 그녀들은 우리의 동태를
살피고자 '점집'에를 어울려서 자주 간다.
나는 그 얘기를 듣고 이상한 생각이 들었다. 우리의 동태를 살피는데
왜 '점집'에 가야 하나? 집사람들이 점쟁이 말보다 우리 말을 더 믿어
주었으면 한다. 우리 동태를 살피려면 '점집' 보다는 수산시장에 가는 게
더 낫지 않을까? 최소한 수산시장에는 동태가 있으니까...

디샵

de#sharp

3F

telephone:02-446-3412 facsimile:02-446-

우리의 간판이다.
우리 사무실의 이름은
보다시피 디샵이다.
하는 일은, 돈 되는 건
다 한다.

뿌리씨, 드디어 눈을 기증 하신다는 분이 나타났습니다!

선생님, 그럼 제 두 눈은 이제 광명을 찾는 건가요?

그, 그게... 죄송하지만, 한쪽 눈만을 기증 받아서...

어엣? 왜 한쪽 눈만 주신단는 거죠?

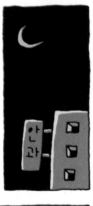

안과

...

붕대를 풀테니, 긴장을 푸세요...!

보이십니까?

앞에 눈을 기증하신 분이 서 계십니다...

어·엄마···!

울지마 엄마만 괜찮아...

제게 빛을 보여 주신분, 저도 당신의 빛이고 싶습니다 광수생각. END

세상에서 가장 유치한 질문.

"만약에 당신은 바다에 당신의 어머니와 당신이
사랑하는 사람이 빠졌다면 누굴 먼저 구할 것입니까?"
라는 질문을 하는 사람들이 꼭 있다. 그럴 때마다
'참 웃기는 녀석이군' 하고 생각하곤 하지만,
그 웃기는 질문에 매번 고민을 하는 나는 정말 '웃기는 놈' 이다.
나는 그 질문을 받을 때마다 사랑하는 사람이나 어머니나
그 어느 누구도 구하지 않고 "중간에서 빠져 죽겠다" 라고
대답을 하지만 실제 상황이 닥쳐도 나는 그렇게밖에
할 수 없을 것이다.
왜냐하면 나는 수영을 못하니까...

그는 22세에 사업에 실패했다. 23세에 주 의원 선거에서 낙선했다. 24세에 또 사업에 실패했다. 26세에 사랑하는 사람을 잃고, 29세에 의회 의장 선거에 낙선했다. 31세에 대통령 선거에 낙선했다.

34세에는 국회의원 선거에도 낙선했으며, 39세에 또다시 국회의원 선거에 낙선했다. 46세에 상원의원 선거에 낙선하고, 47세에 부통령 선거에 낙선하고, 49세엔 상원의원 선거에서 또 낙선했다. 그러나 51세에 그는 드디어 미국 대통령에 당선되었다.

그게 너냐‥?

쩔쩔매. 쩔쩔매

그럼 그게 누구냐‥?

….

누구냐니까 !?

아브라함 링컨 !

아빠 선풍기 가져왔어~

가장 중요한건 꿈을 버리지 않는것입니다 광수생각 E나

회사원은 회사에서 짤리면
자신의 인생이 끝났다고 생각한다.
학생은 대학에 떨어지면
자신의 인생이 끝났다고 생각한다.
하지만 회사에서 짤리거나,
대학에 떨어져도 인생은 결코 끝나는 법이 없다.
우리들 인생의 끝은 우리들이 결정하는 것이
아니라고 생각한다. 그러니, 우리들은
자신의 인생이 끝났다는 오만을 떨지 않는
최선의 자세가 필요한 것이다.

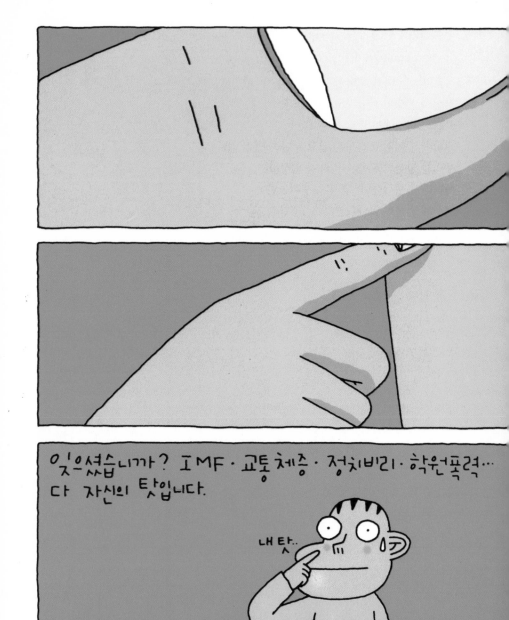

우리들은 도로가 막히는 곳이면
늘 차 안에서 운전대를 잡고 있다.
그리고 주변의 다른 차를 보면서
매우 분개한다.
"도대체 뭐가 바쁘다고 저렇게
한 명에 차 한대를 끌고 나오는 거야!?"
라고 불평을 해댄다.
나도 그렇고 사람들은 절대 자기 혼자
차를 몰고 나온 스스로를 인정하지 않는다.

혁·혁···

혁·혁···

혁·혁···

세상에··· 67세의 신빨리 할아버지가 조선일보 마라톤 대회에서 우승 했습니다···!

어떻게 마라톤을 시작하게 되셨죠?

마라톤을 시작하게 된 이유···?

예!

너두 늙어봐. 저절로 마라톤 선수가 된다구! 버스는 물론이고, 택시도 우리 늙은이를 안 태워주니 쫓아서 뛰다보니 자연적으로 마라톤 선수가 된거라구···

····

싫어도 먹는게 나이입니다 광수생각[네

우리 엄마하고 아부지는 이미 육십이 훨씬 넘었는데도
(훨씬이라는 표현 때문에 엄마하고 아부지한테
맞진 않을까 두렵다) 꽤나 젊은 용모를 지니고 계시다.
거기에다 아부지는 개인 자가용이 있지만, 이상하게 나이 들어서는
전철 타는 것을 굉장히 좋아하신다. 예전에 일하실 때는 바빠서서
그랬던 것일까, 지금은 볼일이 있을 때면 전철을 타고 다니시면서
사람 구경하는 게 참 재미있다고
말씀하신다. 가끔 나는 아부지, 엄마와 함께 전철을 탈 때가 있는데,
두 분은 항상 그 젊은 외모 때문에 자리를 양보받지 못하시는
경우가 종종 있다. 그래서 나는 그런 일을 겪을 때마다 이게 좋은 일인지,
나쁜 일인지 헷갈린다. 하지만 나는 내 부모님이 마라톤 선수가
되는 것에는 반대한다. 우리 부모님은 이제 쉬실 나이이시니...

제 대학 친구중에 신진택이란 녀석이 있습니다.

저도 그리 작은 머리가 아니지만, 녀석의 머리는 정말 컸습니다. 그래서 우리 친구들 사이에서는 그 녀석에게 공룡, 모아이, 공동산등의 별명을 붙여 주었습니다.

캬호…!

그 녀석과 거리를 걷고있을 때였습니다.

…

우리 심심한데 스티커사진이나 찍을까…?

…

스티커사진

PHOTO BOX

…

…

펑!

스티커

PH BO

…

…

사는데 불편하지 않도록, 머리를 줄여야합니다 광수생각 ㅌㅂ

머리 큰 얘기를 하자면, 역시 왕머리 신진택을
빼놓을 수 없다. 내 머리도 그다지 작지 않기에 둘이 만나면 서로
머리가 크다고 놀리곤 했었는데, 우리가 대학 졸업할 때쯤 그 논쟁은
결론을 내릴 수 있었다. 그 논쟁이 끝을 맺을 수 있었던 것은,
'졸업 앨범의 사진' 때문이었는데, 졸업한 사람들은
모두 알겠지만 졸업 사진을 찍을 때는 똑같은 장소에 사진기를 놓고
똑같은 장소에 의자를 놓고 줄을 서서 들어가서 찍게 된다.
그래서 '사진기와 의자의 거리'는 누가 찍던지 간에 똑같은 거리를
유지하게 되며 얼굴만 바뀐 것처럼, 똑같이 웃는 모습이 담긴
붕어빵 같은 사진이 나오게 마련이다. 하지만 왕머리 신진택은
여느 사람들과 다르게 사진이 나왔다. 대부분의 졸업 앨범에 나오는
사진들은 머리 주변으로 아른아른한 여백이 '꽤나 많이'
나왔는데, 왕머리 신진택은 아무리 봐도 여백이 보이지 않았다.
나중에 졸업 앨범을 보고 왕머리 신진택은 '자신만 사진 찍을 때
고개를 앞으로 디밀었다'는 둥, 변명을 했지만 그럴수록
그의 입지는 작아질 수밖에 없었다. 왕머리 신진택의 왕머리 명성은
졸업 앨범 때문에 더욱더 기리기리 빛나고 있다.

빤질이 영복이, 왕머리 신진택과 어울려 찍은 스티커 사진이다.
누구 머리가 제일 큰지 비교해 보는 것도 재미있는 일이다.
다들 왕머리이다.

오래전에 그 사람을 만났습니다. 하지만 그의 마음속에는 제 자리는 어디에도 없었습니다.

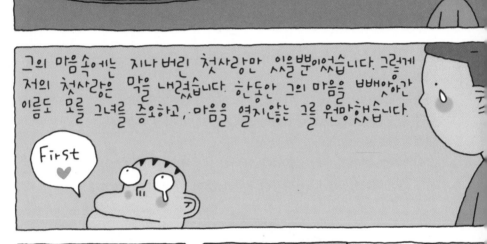

그의 마음속에는 지나버린 첫사랑만 있을뿐이었습니다. 그렇게 저의 첫사랑은 막을 내렸습니다. 한동안 그의 마음을 빼앗아간 이름도 모를 그녀를 증오하고, 마음을 열지않는 그를 원망했습니다.

First ♥

시간이 많이 흘렀습니다. 이제 그를 이해할수 있을것 같습니다.

First ♥

♥

시간이 흐르고 같은 자리에 서게되면, 이해하는 것이 생깁니다. 광수생각 타니 중학교에서 고등학교로 올라갈 때쯤의 일이었다.

예나 지금이나 말썽 많은 나는 그때 아부지가 돌아

앉으셔서 <u>눈물을 보이셨을 만큼</u> 또 큰 사고를

(엄마는 지금은 별일이 아니라고 말씀하시지만) 쳤던 적이 있다.

그때 아부지는 <u>내게 너무 큰 배신감을</u> 느끼셨던지

평소에는 매를 한 번도 들지 않던 분이, 그날은 눈물이 쏙 들어갈

정도로 때리셨던 기억이 있다. 그리고 십수 년이 지났고, 어느새 나는

예전에 아부지가 서 있던 그 자리 비슷한 언저리에 서 있다.

나도 결혼을 하고 아이를 낳게 됐으며, 세 살밖에 되지 않은

내 큰아들 녀석이 말썽을 부리기 시작한다. 세 살짜리가 부리는

말썽이래야 고작 자기 엄마의 화장품을 엎어 놓는다거나 콜라를

들고와 이불에 쏟는 정도지만, 그 정도로도 나는 예전의 <u>아부지</u>

<u>만큼 참지를 못한다.</u> 그래서 한번은 녀석의 종아리를

손바닥으로 있는 힘껏 때린 적이 있었고, 나는 금세 마음이 '짠' 해져서

녀석의 바지를 걷고 혹시 멍이 들지 않았나 살피기 시작했다.

그렇게 하다 보면 이상한 기분이 들어 눈물이 핑 돌고,

집사람에게 그런 감정을 숨기기 위해서 노력하는 나를 발견하게 된다.

그제서야 나는 아부지가 예전에 나에게 가졌던 감정을 조금씩 느끼게 된다.

그래서 아부지를 더 사랑하게 되고, 몸은 아부지를 떠나 있어도 늘

<u>아부지와 함께할 수 있는 마음</u>이 있는 것이다.

그래서 사람들은 나이가 들어갈수록 아부지를 부르는 목소리 톤이

달라지는 것일까...

대개의 여자는
유머 많은 남자를 좋아하고
또 대개의 남자는
조용한 여자를 좋아한다.
하지만 대부분의 장모는
돈 많은 사위를 좋아한다.

나는 궁금하다.
내가 몇 개나 박았으며,
또 앞으로 남은 시간 동안
몇 개를 빼낼 수 있을지.

골동품과 현찰을 내 놓겠습니다. 저게 소중한 사람들을 지켜주십시오. 광수생각. END

누군가가 나에게 "세상에서 가장 무서운 것이 무엇이냐?"고
물었다. 그리고 다음 질문으로 "세상에서 가장 슬픈 일은
무엇이냐?"라고 물었다. 두 물음에 대한 내 대답은 하나였다.

헤어짐...

그냥 멀리 이사 가서 못 보게 되는 그런 헤어짐이
아니고 죽음이 갈라놓는 헤어짐을 나는 가장 슬퍼하고
가장 무서워한다. 죽음이 아닌 다음에야 우리가
헤어진다는 것은 언제든지 다시 만날 수 있음을 의미하기
때문이다. 나는 죽어서도 만날 수 있다고 생각하지만,

만약 그렇지 않다면 어떡하지?

그때마다 우울해지고, 그때마다 살아가는 동안 소중한
사람들에게 최선을 다하며 살아야겠다는 생각을 한다.
나는 내 자신을 위해서보다는 내가 아끼는 주변 사람들을
위해서 살아가고 싶다. 그래서 행여, 죽음으로 헤어진다 해도
전혀 아쉬움이 남지 않을 그런 순간을 맞을 수 있도록...

부웅!

캑!

캑!

벌써 4번째 버스가 그냥 지나쳐 갔습니다.

캑!

캑!

좋습니다. 당신들이 만든 공간에 저를 들이지 않으려는 이유를 압니다.

....

그러나...

나 맹인견 인데...

저 대문에 저에게 의지하며 사는 제 주인마저 당신들의 공간에 못 들어가는 것은 너무 슬픕니다.

저는 맹인견 입니다. 당신들이 언제나 저보다 나았으면 좋겠습니다. 광수생각 END

슈퍼맨이라는 영화가 나오게 된 것은 내가 초등학교 때
쯤일 것이다. 슈퍼맨은 자기가 사랑하는 사람을 위해서 지구를 반대
방향으로 돌려 이미 죽어버린 사람을 살려내기도 하고, 달리는 열차가
탈선할까 봐 끊어진 철로를 몸으로 받쳐서 수많은 생명을 구하기도 했다.
덕분에 우리들은, 어린 시절 엄마의 스카프나 보자기를 한 번쯤은 목에
메고 온동네를 뛰어다녔던 기억을 간직하고 있을 것이다.
그만큼 슈퍼맨은 우리에게 한편으론 신과 같은 존재였다.
더 이상 엄마의 보자기를 훔쳐 목에 두르지 않게 되었을 때쯤,
어린 시절 우리들의 우상이었던 슈퍼맨이 말에서 떨어져 목이 부러져,
그 덕분에 전신마비 증세로 휠체어에 앉아 있다는 소식을 접하게 되었고,
그 소식은 나에게 충분히 슬픔을 맛보게 할 수 있었다.
그래서 언제인가부터는 '나도 저렇게 될지 모른다' 라는
생각이 들게 되었다. 조금씩 나이가 들면서 마음이 약해지는 건지
모르겠지만, 내가 만약 그렇게 된다면 그처럼 용기있게 살아갈 수 있을까,
또 그 누가 나에게서 떠나지 않고 나를 보살펴 줄까 궁금해진다. 생각이
거기까지 미치게 되면 오싹한 기분이 들면서 늘 조심해야겠다고 생각하며,
주변에 장애로 고생하는 사람들을 다른 시선으로 보게 된다. 그래서
잠깐이긴 하지만, 그들에게 좀더 친절해지고 좀더 배려하는 나를 발견하곤
한다. 나는 내 방 안에 슈퍼맨 사진을 붙여 놔야겠다는 생각을 한다. 그렇게
해서 주변에 장애로 어려움을 겪는 사람들을 늘 생각할 수 있다면,
슈퍼맨 사진을 많이 구해서 내 주변의 귀한 사람들과
그 생각을 같이 나누고 싶다.

이소라와 2차로 밥 먹으러
갔을 때, 이소라가 맹인견 돕기에
성금을 내고 받은 강아지 인형이다.
불쌍한 표정을 지어서 헌납받았다.

사람들은 사랑이란 이루어지는 것보다
이루어지지 않는 편이 더 아름답다고들 한다.
그러나 그것은 다른 사람들의 이야기일 뿐,
그 사랑이 자신의 것일 경우에는 견딜 수 없는 아픔으로
남는다. 그래서 남들이 말하는 치료법이란 정확하게
나에게 대입될 수 없고, 그래서 날이 더해질수록
아픔은 더 큰 상처로 남는 법이다.

주: 아~ 걱정이다, 이것을 어디다 숨겨놓고 뚜고뚜고 먹지!?

t⁵

자신이 한때 이곳에 살았음으로 해서 단 한 사람의 인생이라도 행복해지는 것,
이것이 진정한 성공이다. -랄프 왈도 에머슨

그렇다면 박광수는 진정 성공한 사람이다.
난 〈광수생각〉을 보며 적어도 스물다섯 번 정도 행복했었으니까..
나와 비슷한 사람이라는 생각으로...
평범을 가장한 천재일까라는 의심으로...
무진장 착할 거라는 상상으로...
마징가제트 같은 무대뽀와 튼튼함으로...
금전 감각이 칼 같은 프로의 느낌으로...
가슴속에 첫사랑을 묻어둔 로맨티스트로...
어- 욕도 잘하네. No. 3의 터프(?)함으로...
무진장 솔직함에 깜짝 놀라는, 그래서 더 인간적인 광수로...
잘난 척하는 친구와도 잘 지내는 눈물 어린 우정으로...

다른 사람도 대충 이런 이유로 〈광수생각〉을 좋아하고 사랑할 거라고 생각한다.
그런 〈광수생각〉을, 아니 박광수를 처음 만난 건 내 프로그램의 초대손님으로였다.

박광수.
그는 〈광수생각〉의 광수처럼 생겼다. 투명한 하얀색의 뿔테만이 그를 조금 특별하게
보이게 했다. 자기는 특별한 게 없고 그저 희노애락의 평범한 사람이라고 말했다.
(자기를 무지 착할 거라고 생각하는 것에 무진장 부담감을 느끼는 것 같았다)
그리고 자기 부인이 나의 팬이라고 얘기했다. (자긴 아니라는 뜻인 것 같았다)
중간중간 그는 무지 수줍어했고 단호했다. 무엇에? 자신의 일? 돈에 대한 생각?
캐릭터 사업? 미래에 자신이 그리는 삶? 그리고... 그리고...
아! 웃을 때 보조개가 들어갔던가? 박광수! 박광수!! 잘 모르겠다.
-박광수 처음 만난 날의 화정 생각-

그리고 두 번째 그를 본 건 영동에 있는 양곱창집! 당연히 그가 좋아할 것 같은
메뉴를 골라 그곳에서 약속을 했다. 박광수는 먼저 술 마시자고 한 사람이 돈을 안 내면
무진장 화를 낸다는 사실을 익히 〈광수생각〉을 보고 알았던 터라 은행에서 20만 원을
찾고도 두 번이나 지갑을 확인하는 치밀함까지 보이면서 그를 기다리고 있었다.
(사실 누가 먼저 약속을 했는지는 지금도 확실치 않지만..) 그는 조금 늦게 도착했고,
우리는 오랜 친구처럼 얘길 주고받고, 조금 더 자세하게 표현하면 거의 팬과의 대화였다.
서로가 서로에게 조금은 어색하게, 가끔은 수줍게.. 어쩌다가 웃음, 그리고 또 팬과의 대화

화정: 광수생각 너무 좋아요.
광수: 지난번 토크쇼에 나온 것 너무 재밌게 봤어요.

저

그런데 박광수는 전혀 양곱창에 손을 대지 않는 것이다. 심지어 이런 것은 못 먹는다는 것이다. 난 그때 처음 알았다. 식성은 절대 얼굴을 보고는 못 맞춘다는 것을.

시간 경과.
2차를 박광수가 산다고 해서 우리는 포장마차로 자리를 옮겼다. 술이 조금씩 조금씩 들어가자 그는 더욱더 예의 바르고 순한 박광수로 본색(?)을 드러내기 시작했다.
일에 대해서, 자기의 미래에 대해서, 남을 돕는 것에 대해서, 사랑에 대해서, 인간의 본성에 대해서... 참 많은 얘기를 했다(남을 돕는 일에 대해선 우리 모두 의기투합, 동의하며 구체적인 방법까지 생각할 땐 정말 순진하고 착한 학생으로 돌아가는 것 같았다). 시간이 흐르면서 박광수라는 사람의 구체적인 느낌이 서서히 내 머릿속에 정리되어 갔다. (난 습관적으로 생각을 자주 정리한다. 왜? 그냥 습관이니까..) 그는 좋고 싫음이 분명한 냉정한 사람이 결코 못 되는 것 같았고, (잡지에서 박광수는 좋고 싫음이 너무 칼 같다고 읽었다) 그리고 먼저 술을 마시자고 한 사람이 술값을 안 내도 그렇게 많이 화를 내지는 않을 것 같았다. 평범하지만 평범하지 않은 생각으로 일을 하고 미래를 얘기하는 신세대 같았고, 남을 돕는 일에 오만 팔만 가지의 안 되는 이유를 늘어놓는 것에 대해 답답해 하는 사람이고, 내일 아침 방송 출연 때문에 술을 많이 마시면 안 되는데 하면서도 또 마시는 웃기는 아저씨. 그는 따뜻하고 아주 건강한 대한민국 국민이고, 자기 미래에 희망 찬 설계로 아주 힘든 일도 넘길 수 있는 믿음직한 가장이고, 사랑에 대해서 자기만의 정의를 갖고 있는 로맨티스트이고, 동네 슈퍼에서 쉽게 만날 수 있는 무릎이 나온 츄리닝이 잘 어울리는 저력을 지닌 평범한 오빠라는 것을...
물론 2차의 술값은 박광수가 냈다. 난 술 대신 안주만 드립다 먹었기 때문에 꽤 나왔을 것이다. 그래도 아무 말없이 조용히 순순히 냈다. 참 인상적이었다.
-박광수 두 번째 만났을 때 화정생각-

그래서 그런 박광수가 그린 〈광수생각〉을 보면 난 뽀빠이의 시금치가 떠오른다. 축 처져 있다가도 올리브의 키스와 시금치 한 통이면 다시 힘이 솟는 뽀빠이. (요즘은 '파파이' 라고 한다) 때론 시금치처럼 힘을 주고, 때론 박하사탕처럼 기분이 화~ 하면서 맑아지고, 가끔은 공갈빵처럼 "이게 뭐야." 하며 허무해 하고, 어떤 때는 가슴이 너무 찡해서 괜히 천장 한 번 보고... 사전처럼 뒤적이며 내가 좋아하는 광수생각을 찾아보며 웃고 흐뭇해 하고 감동받고 낄낄거린다. 그래서 나에게 〈광수생각〉은 아무리 생각하고 또 생각해도 울트라 캡숑 나이스 짱이다. 틀려도 할 수 없다. 왜?화정생각이니까...
이상, 화정생각 끝!

최화정 | 방송인

곱창 못 먹어요

그21H, 오버 집을 떠난다고 하는게냐?

아버님을 아버지라 부르지 못하고, 형을 형이라 고 부르지 못하오니…

나 참…

그2H…? 음… 그것때문이라면 오늘부터 호부호형을 허락하노라…!

그게 아니옵고

아버님을 아버지라 부르지 못하고, 형을 형이라고 부르지 못하오니…

그2버서 호부호형을 허락한다니까!

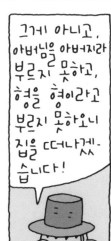

그게 아니고, 아버님을 아버지라 부르지 못하고, 형을 형이라고 부르지 못하오니 집을 떠나겠습니다!

…그2H 그2 금 떠나거라!

근데 호부호형이 무지…?

아들 노릇도, 뭘 알아야 할수 있습니다. 광수생각. E나

내 만화에는 늘 아부지에 관한 만화가 많다.
그래서 사람들은 내가 엄마보다 아부지와
더 친하다고 생각하지만 꼭 그렇지만은 않다.
아직도 나는 엄마에게 뽀뽀를 하고, 가끔 엄마 무릎을 베고 자며,
많은 얘기를 나누는 편이다. 머리가 굵어진
이후에는 아부지와 대화를 나눌 시간이 점점 줄어들었고,
다시 회복되기까지 꽤 많은 시간이 필요했다.
그 시간을 단축하는 데 가장 일조했던 것이 내 만화이다.
나는 내 감정들을 부끄러워하지 않으며 가감없이 아부지에게
전할 수 있었으며, 나의 그러한 생각들을 아부지 또한 고스란히
받을 수 있었으니까 말이다. 나는 서른 해 동안 아부지와 살아왔지만
아부지를 잘 모른다. 아부지가 좋아하는 음식,
아부지가 좋아하는 텔레비전 프로 등등 아주 단편적인 것들만
알 뿐, 아부지가 진정으로 소중하게 여기는 것이 무엇인지
나는 정확히 모른다. 다만 어렴풋이 짐작을 할 뿐이다.
아부지는 나에 대해서 꿰뚫고 있다.
하지만 나는 아부지에 대해 잘 모른다.
참 부끄러운 일이다.

나는 그녀를 사랑합니다. 오늘 저는 쪽지로 그녀에게 제 사랑을 고백할겁니다.

전달은 성공적이었습니다. 주머니에 있는 쪽지를 재빨리 그녀에게 건네고 도망쳤습니다.

?

다음날 그녀는 저를 조용히 불렀습니다

뿌리씨…!

그리고 부끄러운듯이 제게 물었습니다.

어제 왜 제게 천원을 주셨어요…?

제 주머니에는 그대로 건네지 못한 사랑의 쪽지가 있습니다. 광수생각.타

예전에 나는 미술학원에 있는 여자를 짝사랑한 적이 있다.
그 당시 우리는 어린이 대공원 후문에 있는 '겨울화실'이라는
데를 다녔고, 우리는 늘 화실이 문을 닫으면 채시라가 고등학교 때 탔던
'542번 버스'를 타고 집으로 향하곤 했다. 나는 네 정거장 정도 가서
내리곤 했는데, 내가 내리는 모습을 그녀는 늘 보곤 했다. 왜냐하면 그녀의
집은 더 멀었으니까... 내가 내리는 곳은 '능동 사거리'라는 정류장이었는데,
버스는 항상 사거리에서 좌회전을 받아서 능동 사거리 역에 나를 내려주곤
했다. 나는 항상 버스 내리는 계단에 서서 그녀를 힐끗힐끗 쳐다보다 버스
문이 열리면 내리곤 했는데, 버스는 항상 멈추지 않은 상태에서 문을 먼저
열곤 했다. 속도는 느려도 달리는 차에서 뛰어내린다는 것은 꽤나 큰 용기를
필요로 한다. 나는 혼자 다짐했다. 버스가 좌회전을 하면서
정류장에 가까워지고 문이 열리면, 달리는 차에서 잽싸게 뛰어내려 멋지게
착지하는 모습을 그녀에게 보여줘야지 하고. 그리하여 그녀가 없는 542번 버스
에서 어마어마한 연습을 했다. 연습은 순조로웠고, 나는 어느덧 능숙한 솜씨로
달리는 버스에서 뛰어내릴 수 있게 되었다. 드디어 내 연습의 결과를 그녀에게
보여줄 수 있는 날이 왔다. 나는 평소처럼 그녀와 담소를 나누며 내가 내리는
정류장까지 왔고, 나는 긴장된 모습으로 문앞에 서서 문이 열리자 연습 때처럼
몸을 밖으로 날렸다. 그러나 웬걸, 연습할 때의 그 날렵함은 어디론가
사라지고... 그녀가 보고 있어서 그랬을까? 연습할 때 늘 닿던 발이 닿지 않고,
반대 발이 먼저 닿았다. 결과는 너무 뻔한 것이었다. 내 육중한 몸은 바람에
날리는 낙엽처럼 땅에 뒹굴었고 나는 '어쿠, 어쿠' 소리를 내며
땅바닥에 비참하게 쓰러져야 했다. 나는 너무 창피한 나머지 그녀의 얼굴을
쳐다보지도 않고 곧바로 집으로 뛰어들어갔다. 지금도 그 일을 생각하면
얼굴에 조용한 미소가 퍼진다. 그때 버스에서 연습했던 그 순수한 감정들은
지금 내겐 거의 사라지고 없지만, 나는 다시 한 번 542번 버스를
타고 그 거리를 다시 가보고 싶다.

아버지는 실직해서 어느날인가부터 집에 안들어 오시고, 엄마는
아버지 찾으러 나가셨고, 누나는 돈번다고 집을 나갔습니다.
그리고 저는 이제 눈물도 나지 않습니다.

집을 지킨다고 집을 나가지 마세요. 아이는 혼자 외로우니까요... 광수생각, 타네

결혼 전에는 텔레비전에 아픈 아이들이나,
어려운 처지에 놓인 아이들이 나와도 별 생각없이
불쌍하다는 느낌을 가졌다. 그때 내가 그들에게 가졌던
그런 느낌들은 누구나 잠깐잠깐 가질 수 있는 그런 생각이었던
것 같다. 차츰 나이가 들어가면서는 (나이가 들어가면서
라기보다는 애들을 낳은 후, 라는 표현이 더 정확할 것이다)
다시 그런 장면을 대하게 될 때면 불쌍하다는 느낌은 여전하지만,
더불어 가슴 한 곳이 미어져 오는 아픔을 느낀다.
그래서 어른들은 부모와 자식간의 사랑을 '내리 사랑' 이라고 했던가?
버려지는 아이들이 늘 꿈을 꿀 수 있는 환경 속에서 세상의 모든
아이들과 함께하기를 진심으로 기원한다.
아이들을 외롭게 해서는 안 된다.

아부지

엄니

정말

사랑해요.

막내가
일천구백구십팔년오월팔일에..

이 말을 하고 싶었다.
아니 혹시 자주 하고 있는지도 모르겠다.
하지만 부모님 앞에서 정색을 하고 말한 적은
한 번도 없는 것 같다.
그래서 엄마나 아부지는 내가 자신들을
사랑한다고 하는 말이 늘 농담처럼 들리시는가 보다.
언젠가는, 그것이 꼭 어버이날이 아니더라도
더 늦기 전에 정색을 하고, 두 분을
사랑한다는 말을 꼭 해드리고 싶다.
마치 인사처럼...

만삼천 엔짜리 쏘니 소형 녹음기.
부분부분 끊어서 60분 간 녹음할 수 있어
아이디어가 생각날 때마다 잊어버리지
않기 위해서 생각날 때마다 녹음을 한다.
일본 '아끼하바라' 에서 직접 구입했다.
하지만 우리나라에서도 판다.

우리 마누라인 희정이는 쓸데없는 데다
절약을 많이 한다. 그래서 오지게 더운 지난 여름
에어컨을 한 번도 켠 적이 없다. 덕분에 더위를 많이
타는 나는 '수없이 많은 불면의 밤'을
지새워야 했다. 그래서 가끔 너무너무 더운 새벽,
마누라 몰래 마루에 있는 냉장고 앞으로 가서
냉장고 문을 조금 열고 그 앞에 누워서 기분 좋게 잠들곤 했다.
아침에 눈을 뜨면 마치 내가 새끼 친 것처럼
내 등뒤로 내 집사람과 큰아들 상준이가 붙어 있다.
밤새 펭귄들이 우리 가족을 모두 그쪽으로 옮긴 모양이다.

사랑도 전공불문입니다. 광수생각 END

나는 취업을 해본 적이 한 번도 없다.
늙어 보이는 얼굴 덕분에
일학년 때부터 나이를 속이고(내가 굳이
속이려 하지 않아도 그들은 내 얼굴을 보고
30대 중반이라고 판단했다) 일을 시작했고,
졸업해서는 곧바로 프리랜서로 뛰어들었기
때문에 취업의 어려움이나 직장생활의 어려움을
모른다. 그래서 내가 불문과에 진학을 하지
않았는지도 모른다.

어서 오십시오.

...

의사 선생님, 전
안경을 써야 하나봐요.
앞이 잘 안보이거든요!

....

정말 그래야겠군요
여긴 식당인데...

사랑, 내가 눈이 나빠서 그냥 지나치면 알려다오! 광수생각. END

신뽀리가 나에게 기막힌 것을 제안해 왔다(이때는 우리가 중학교 2학년 때 일이다). 녀석은 내가 보지 못한 것을 보여주겠다고 하며 그것(?)을 보면 세상의 모든 궁금증이 사라질 거라고 호언장담했다. 녀석이 말한 그것이란 여탕에서 목욕을 하고 있는 여자들의 알몸이었다. 지금 생각해 보면 그때 우리가 세상에 대해 가지고 있는 궁금증이란 여자의 알몸 외에는 아무 것도 없었던 것 같기도 하다. 나는 녀석의 제안을 흔쾌히 받아들였다. 아니, 받아들였다기보다 어쩌면 오랜 시간 누군가가 그런 제안을 내게 해주기를 기다리고 있었는지 모른다. 아무튼 녀석과 나는 이른 새벽에 도서실을 빠져나와 서울 중곡동 언저리에 있는 어느 여탕으로 향했고 녀석은 그 여탕의 구조를 아주 잘 알고 있는 것 같았다. 그때 여탕은 2층에 조그만 창문이 있었고, 녀석은 어디선가 2층 창문에 기대어 놓고 볼 수 있는 사다리를 가져왔다. 많이 해본 솜씨 같았다. 녀석은 마치 표범처럼 사다리에 올라 2층까지 매우 날렵한 솜씨로 올라갔고 창문을 통해서 여자들의 알몸을 보고 있었다. 나는 너무 부러워 녀석에게 빨리 내려올 것을 종용했고, 녀석은 어깨를 으쓱거리며 사다리에서 내려왔다. 나도 녀석이 했던 것처럼 사다리를 타고 여자들의 알몸이 보이는 2층 창문까지 열심히 올라갔다. 추운 겨울이라 그랬는지 불이 나서 연기 나는 것처럼 창문으로 수증기가 나오고 있었다. 안경을 쓴 나는 알몸의 여자들을 보기 위해 고개를 디밀었지만 안경에는 즉각 김이 서려 볼 수가 없었다. 안타까운 마음에 안경을 벗어서 다시 쳐다봤지만 워낙에 눈이 나쁜 데다 목욕탕 안에 수증기가 많아서 사람들이 덩어리로만 인식될 뿐 결코 에로틱한 장면을 볼 순 없었다. 나는 서러운 마음에 나쁜 눈을 원망하며 사다리에서 내려왔고, 신뽀리는 혀를 끌끌 차며 다시 사다리 위로 올라갔다. 그러나 곧이어 여탕 안을 바라보던 신뽀리와 여탕의 여인은 우연히 눈이 마주쳤고, 그 여탕의 여인은 여자 선동열이었는지 옆에 있는 비누를 잡아서 신뽀리를 향해 정확하게 던졌다. 그때 그 비누는 '비놀리아' 라는 비누로 "아직도 그대로네!" 라는 카피로 광고를 할 정도로 딱딱하기가 돌 같은 비누였다. 신뽀리는 비누를 맞자마자 정말 다이렉트로 2층에서 1층까지 떨어졌고, 우리는 들켰다는 생각에 아픔도 잊은 채(물론 내가 아픈 것은 아니었지만) 열심히 도망쳤다. 다행히 우리는 들키지 않았고, 지금은 훌륭한(?) 어른으로 성장했다. 하지만 아직도 나는 죄책감보다는 그때 내 나쁜 눈을 원망한다. 그래서 누군가 투명인간이 되면 무얼 할 건가를 물어보면 아직도 망설임 없이 "여탕에 갈 거예요!" 라고 대답한다.

자네 막내 아들 말이야. 이번후과 의사가 되려 공부를 한다더니, 자네가 설득해서 치과로 바꾼거라며..?

나도 아들 녀석을 설득할 일이 있는데, 비결을 좀 가르쳐 주게나…!

나는 별 이야기 안했다네. 다만, 귀는 두개고 이빨은 32개나 된다는 사실을 일깨워 줬을 뿐이야…

…

나도 당신처럼 제 아들에게 세상이야기를 합니다. 광주생각 EV

아부지들은 가슴속 어딘가에 늘
자신의 자가 있는 모양이다. 그래서 늘 아들이 하는 모습을
이리 재보고 저리 재보고 해서 틀린 부분을 고쳐 나가게 하려고 노력한다.
하지만 내가 당부하고 싶은 것은 언제나 늘 당신의 자로만 재지 말고
아들 스스로 혹은 딸 스스로가 자신의 경험으로 세상에
눈금을 만들며 살아가게 내버려 두었으면 하는 것이다.

정말 고성능 컴퓨터 로봇이 태어났다. 아니, 만들어졌다.

691×52 +37693÷ 4×28=?

515375

컴퓨터가 대통령이 될 수 있겠는가?

나는 지금 어떤 공직에도 출마할 의사가 없다. 하지만 민의가 진정으로 나를 원한다면 함께 봉사하겠다.

민의가 원한다면..

민의는 없다. 돈벌러 집을 나갔다. 그래서 민주만 있다. 광스새가 돼 ㅇㅇ ㅎ

나는 비오는 날 양철지붕 아래서의
파전과 소주 한잔을 사랑한다.
그래서 비오는 날은 일찌감치 자리를 잡고
양철 지붕으로 떨어지는 빗소리를 들으면서
내가 사랑하는 파전과 소주를 먹는다.
흙탕물 속에서 걷는 사람들을 보면
나는 궁금해진다. 이렇게 비오는 날 나처럼
좋은 곳에서 자리를 잡고 먹는 소주 한잔과
맛난 파전도 참 좋을 텐데,
이 좋은 풍경을 버리고
그들은 왜 흙탕물 속으로 들어간 걸까?

우리들의 주식, 짜파게티.
우리는 너무 배가 불러
눈물이 날 때까지 먹는다.
그래서 우리들은 가끔 울면서
짜파게티를 먹는다.

어디가 아프셔서 오셨죠..?

퇴직이후..머리도 아프고.. 입맛도 없고 눈도 침침하고.. 허리도 아프고..

비타민 V가 모자른 것 같군요. 이거 드십시오.

비타민 V요..? 비타민 B나C는 많이 들었지만 V는 처음인데요..

비타민 V는 Vision(비젼) 의 V를 약자로 쓴 비타민입니다. 선생님은 다른게 아니고, 희망을 잃어 버린것 같습니다.

...

브이·아이·쓰시·티·오·알·와이·언제나 화이팅! 광수생각. ㅌ ㅏ

이 만화가 나간 이후에 이상한 사람에게 전화가 왔다.
전화 건 사람이야 자신이 전혀 이상할 리가 없다고 생각하겠지만,
나는 그가 매우 이상한 사람이라고 생각한다. 이 만화를 보고 자신이
'어느 사보'에 발표했던 글과 너무 흡사하기 때문에 이 만화가
표절이라며 나를 고발하겠다고 전화로 협박하는 것이었다.
나는 이 얘기조차도 왕머리 신진택이 자신이 다니는 교회 목사님께
들은 내용이라고 말했기 때문에, 그 목사님이 그 사람의 글을 읽고
얘기했을 수도 있다는 생각에 그 사람에게 자신이 쓴 글의 전문을
팩스로 보내 달라고 요청했다. 팩스가 도착했고, 그 글에 주된 내용은
아이엠에프 때문에 그 회사원의 심장이 없어졌다는 내용의 글이었다.
내 만화의 주요 모티브가 되는 '비전'이라는 말도 전혀 나오지
않았고, 내가 보기에는 전혀 다른 글 같았다. 그 이후에 그와 통화를
하게 됐고, 그가 계속 말하려는 투가 어떻게 해서든 나에게서 돈을
뜯어내겠다는 심산 같았다. 그래서 나는 맘대로 해보라는 식으로
말을 해버렸고, 그 후 그로부터 더 이상의 전화는 없었다.
그런데 한참 후에 통신에서 그가 나에 대해서
쓴 글을 보게 되었다. 글의 내용은 자신이 내게 전화를 했고
겁먹은 내가 얼마를 드리면 되겠느냐고
물어보았다는 것이었다. 나는 웃음이 났다.
그리고 나는 지금도 웃음이 난다.
진짜 웃긴다.

음주운전에 안 걸리는 법은, 술마시고 차를 놓고가는것 입니다 ㅏ.광수생각.ㅌㅂ

절대자가 아닌 다음에야

어느 누구의 의견이 진리가 될 수는 없는 것이다.
당시에는 그것이 진리 같기도 하지만 시간이 지나거나
상황이 바뀌면 그렇지 않은 경우도 종종 있기 때문이다.
언제나 상대방의 말에 귀를 기울인다면, 진리까지는
아니더라도 남들에게 피해는 주지 않을 것이다.
남들에게 피해 주지 않는 삶, 그것이
'사는 동안의 진리가 아닐까'
하고 나는 매일매일 생각한다.

내 중학교 동창인 영교가 앨범을 냈다.
이름하여 '더 네임 오브 밴드'.
뜻하여 밴드의 이름은 밴드(?).
개인적으로는 여섯 번째 트랙의
돌아갈 수 없잖아 를 제일 좋아한다.
내가 그 곡을 밀어서 그 곡이 뜨면
뒷돈을 받기로 했다.

別雨

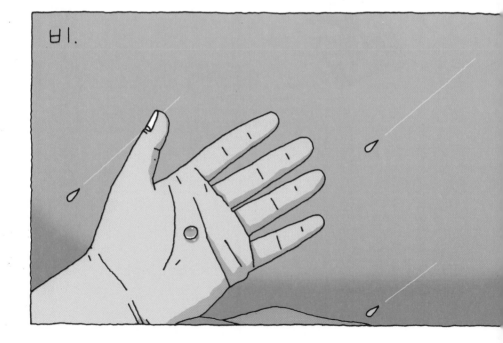

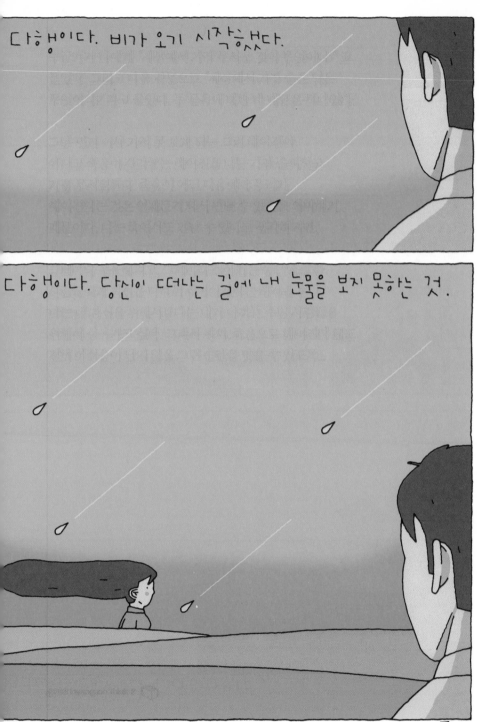

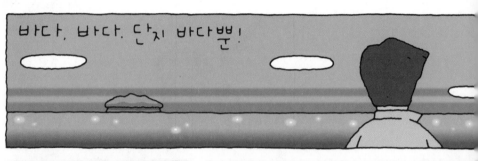

바다, 바다, 단지 바다뿐!

아버지, 오버 저를 도시로 데려오셨나요?

오버? 저를 바다에서 꺼내오셨어요? 꿈속에서도 파도는 저의 가슴을 끌어당기고 있습니다. 그곳으로 가져 가고 싶은가 봅니다.

아버지, 오버 저를 여기로 데려오셨나요? - 라파엘 알베르티의 시

아버지는 대답이 없으시다. 광수생각

나는 가끔 내가 아무 것도 아니었으면 좋겠다는
생각을 한다. 사람도 아니고 그렇다고 곤충도 아니고, 아무튼 세상에
없는 그런 존재였으면 할 때가 있다. 사람에게 고민이라는 게 없을 수는
없는 법이라, 이런 저런 고민을 하다보면 그런 고민따위가 굉장히
귀찮을 때가 있고, 가끔 주변 사람들에게 커다란 젤리 속에 들어가
식물인간처럼 평생을 보냈으면 한다고 고백한
적도 있다. 그래서 이 세상에 나오게 한 아부지를 무책임하다고
생각한 적도 있고, 잠시 잠깐 원망한 적도 있었다. 하지만 지금은
그런 생각따위는 하지 않는다. 아부지가 나에게 가지고 있는 사랑을
알았으며, 아부지가 나에 대한 사랑을 키운 것처럼 내가 내 아들
상준이와 내 딸 정인이에게 아부지가 했던 것처럼 사랑을 키워 나가는
동안에 나의 그런 고민들은 저절로 사라질 것이라고 생각한다.
사랑은 잡념을 없애 주는 훌륭한 도구이다.

사라이 매.

옛날 우리 학교 선생님 중 '찐빵'이라는 별명을 가지고
있는 선생님이 있었다. 그 선생님은 말을 잘 안 듣는 나를 싫어하셨는데,
지금은 잘 기억이 나진 않지만 나는, 별 시덥지 않은 누명을 써서
선생님에게 맞은 적이 있었다. 그때 선생님이 나를 때렸던 도구는 자신이
신고 있던 실내화 한 쪽이었다. 나는 그때 맞은 것을
지금까지 잊을 수가 없다. 지금까지 누구에게 맞은 사례 중 가장
'기분 나쁜 매'였던 것이었다. 이에 반해서 나는 고등학교 일학년 때
담임 선생님에게 몽둥이로 백오십 대를 맞은 적이 있는데,
오히려 그때는 별로 기분 나쁘지 않았었다. 아니 오히려 맞고 나서
굉장히 후련했다. 그때 백오십 대를 때렸던 선생님은
분명 나에게 애정이 있었다고 느낀 반면에, 단 한 대였지만 실내화로
날 때렸던 '찐빵' 선생님은 오직 자신의 감정만으로 날 때렸다고
믿고 있기 때문이다. 그래서 날씨가 추워지면 나는
짜증이 나기 시작한다. 왜냐하면 가게에서 '찐빵'을 팔기 때문이다.

통조림 모양의 시계. 출입구에 걸려 있는 시계인데,
이 시계를 보는 일은 극히 드물다.
아트박스에서 얼마인지 잘 기억은 안 나지만,
그리 많은 돈을 주지 않고 구입했다.

새 처음 보냐?

앗, 새다!

윽!

탕!

어보슈, 그건 내가 잡은 새요!

언덕너머에는 농부인 영석이가 있었다.

히·히··· 주운 사람이 임자지···!

서로 자신의 것이라고 우기며 싸우기 시작 했다.

좋소, 결론이 안나니 주먹으로 10번씩 때려 버틴 사람이 갖기로 합시다

맷집은 자신있지···

먼저 뿌리가 맞기로 했다.

1대·

픽!

8대··

픽!

간신히 참은 뿌리는 때릴 준비를 했다.

대···!

····

너 가져

가끔은 새도 날지 않을때가 있는 법이다. 우리들처럼··· 광수생각 티

어렸을 때 나는 물건이라는 것은 '주운 사람이 임자' 라는
생각을 한 적이 있다. 그런 생각을 갖고 있는 터에,
그때가 아마 중학교 2학년 때던가, 오락실에서 내 옆에서
오락을 하고 있던 아저씨가 어떤 봉투 하나를
오락실 기계에 놓고 간 것을 발견한 적이 있다.
솔직히 말하면 발견만 했겠는가. 나는 당연히 봉투를 열어 봤고
봉투 안에는 그 아저씨가 한 달 동안 열심히 일해서 번
월급이 고스란히 들어 있었다. 나는 그 후 2주일 동안
거의 재벌집 아들처럼 친구들에게 돈을 물 쓰듯이
썼다. 당연히 경찰서로 갖다 주어야 할 돈이었지만 그때 나는
'주운 건 주운 사람이 임자' 라는 생각이 확고했으므로
경찰서로 갖다 주는 노력 따위는 하지 않았다. 그 때문에 벌을
받았던 것이었을까. 내가 지금까지 잃어버린 지갑은
10개도 넘으며 시계, 가방, 옷 등등 내가 잃어버린
것들은 이루 헤아릴 수가 없다. 그때서야 나는 '흘린 물건은
주운 사람이 임자' 라는 생각을 조금씩 버리게 되었다.
그래서 이제서야 그 아저씨에게 잘못을 빌고 싶고
(물어 준다는 소리는 절대 안하는 박광수), 이제부터라도
주운 물건은 주인에게 열심히 돌려주어야겠다는 생각을 한다.
그러니까 내 물건 주운 사람도 꼭 돌려 주길 바란다.
결코 주운 사람이 임자가 아닌 것이다.

가끔 열번 찍어도 안넘어가는 나무도 있다. 광수생각 END

그때 난 왜 열한번을 안 찍었을까? 광수생각 END

나는 예전에는 세상에 이루어질 수 없는 사랑이 있다
고 믿었다. 사람 중에는 열 번, 백 번 찍어도 넘어가지 않는 사람이 있고,
아무리 사랑해도 그 사랑이 자신에게서만 그치는 사람도 있다고.
하지만 얼마 지나지 않아서 그 생각은 조금씩 바뀌기 시작했다.
열 번 찍어서 안 되면 스무 번, 백 번 찍어서 안 되면 천 번을
찍는 것이 사랑이라는 생각이 들기 시작했으며, 그렇게 이루어진 사랑을
결코 끈기라고 부르고 싶진 않다. 사랑을 포기하는 것은 끈기가 없는
것이 아니라 사랑이 없는 것이다. 끝까지 사랑을 포기하지
않는 것을 당부하고 싶다. 아무리 손에 물집이 생길지라도...

낮에도 밤에도 정신차리고 사십시오. 광수생각 END

내 친구 중에는 덕수라는 녀석이 있다.

그 녀석은 평소에는 너무너무 천사 같은 녀석이지만
술만 먹으면 그야말로 개처럼 변하고 만다. 녀석은 꼭 술만 먹으면
같이 마시는 여자애의 뒷머리를 잡아끌며, 주변의 우체통이나 나무를
뽑는 게 특기다. 그래서 친구들은 되도록 덕수와 술을 마시지 않으려고
노력하지만, 인생이 꼭 하고 싶은 일만 할 수 있는 것이 아닌 것처럼,
어쩔 수 없이 덕수와 술을 먹게 된다. 어느 날, 그 어쩔 수 없는 날이
내게 찾아왔다. 우리는 그날 꽤 많은 양의 술을 마셨고,
꽤 늦은 시간이 되서야 술집을 나서게 되었다.
술집 앞에는 술을 마시기 위해 주차해 놓은 차들이 많이 있었는데,
덕수는 갑자기 그 차들을 노려보기 시작했다.
그리고는 우리가 미처 잡을 새도 없이 차 지붕에 올라가서
마구 뛰다가 내려왔다. 물론 차의 지붕은 엉망이 되어버렸다.
우리는 놀래서 덕수에게 왜 그랬냐고 물어보았고, 덕수는 굉장히
화가 난 말투로 "차가 나를 노려보잖아!" 라고 말했다.
우리는 어이도 없고 주인이 나타날까 봐 황급히 자리를 떠났다.
92년 초겨울쯤의 일이었다. 그 당시에 한남동에 차를 세워놓고
술을 마시다 지붕이 망가지신 분은 제게 전화를 주십시오..
그럼, 김덕수의 전화번호를 알려드리겠습니다.
나는 아직도 덕수와 술 마시는 게 무섭다.

삼문동에 광수-생각이라는 까페가 있었는데, 커피의 가격이 유별나게 5,200원이었다.

광수 생각

손님도 유별난 사람이 있어서, 언제나 차를 마시고 100원 자리 동전 52개로 계산하는 손님이 있었다.

커피값...

헉!

주인이 신뽀리는 매일 52개의 동전으로 계산하는 손님에게 복수할 날로 손꼽아 기다리고 있었다.

...

그러던 어느날 동전이 없었는지 만원자리로 커피값을 냈다.

커피값 10000

주인이 신뽀리는 기다렸다는듯 100원 자리 동전 48개를 바닥에 쏟아놨다.

...

그는 잠시 고민하다가 400원을 꺼내서 동전속으로 더졌다. 그리고는...

그가 말했다.

커피 한잔만 더 주세요!

꺅!

알면서 왜 그러십니까. 복수는 복수를 낳는걸... 광수생각.END

정말 우리 셋째 형이 쌍문동에서 '광수생각' 이라는
커피숍을 한다. 우리 셋째 형은 나랑 여섯 살 차이로,
지금 현재 서른 여섯 살이다. 하지만 아직 결혼하지 않고
너무 자유스럽게 살고 있다. 그런 형이 요즘 커피숍에
손님이 별로 없다고 찡찡댄다.
형의 찡찡거림을 그냥 볼 수 없어 모처럼 쉬는 토요일날이면
커피숍에 나가서 서빙도 하고 커피 마시러 온 손님들에게
즉석에서 사인도 해주곤 한다. 나는 형을 사랑한다.
그래서 이 글을 보는 사람들이 가벼운 마음으로 전철을 타고 가
쌍문역에 내려, 우리 형 커피숍에 들러 커피 한잔 팔아줬으면 한다.
형이 웃는 모습을 보면 내 마음도 형 커피숍에서 파는 커피처럼
따뜻해지기 때문이다. 나는 형을 사랑한다. 나는 형이 어딘가
있을 미지의 형수를 빨리 사랑해서 내 세 번째 형수가
생겼으면 좋겠다. 그래서 맨날맨날 형이 행복해 하며
살았으면 좋겠다.

최근에 산 손가방. 그 동안 갖고 다니던
가죽가방이 너무 크다고 생각되어
새로 구입한 가방이다. 주로 선글라스와
열쇠 꾸러미 그리고 그 밖의 잡다한
것들을 넣고 다닌다.

달고나.

공룡.

캬오!

버스 안내양.

다음 내리실 역은 개포동입니다.

BUS

병우유.

종이뚜껑이 안으로 들어가야 더 맛있다.

쫀드기.

...

··· 그리고 사랑. 지금은 이제 없어져 버린것들.

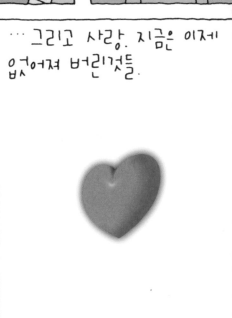

떠날수도 머물수도 없다. 나는 과거에서 살고있다. 광수생각 END

나는 지금도 '달고나' 맛을 잊지 못한다.
많은 사람들이 달고나를
잊었을지 모르겠지만
나는 그렇지 않다.
요즘 다시 예전의 뽑기가 나오지만
그걸로는 만족할 수 없는 까닭이다.
매일매일 이렇게 그리워하면서 살 바에는
차라리 내가 달고나회사를 차리는 게 낫지 않을까?
경신이 누나는 달고나는 그야말로
불량식품의 대명사라고 말하지만,
나는 아직도 불량학생인 양 그 달고나가 먹고 싶다.
누가 내게 달고나 있는 곳을 가르쳐주면 정말 좋겠다.

마지막으로 웃었던것이 언제였었나…?
이젠 웃는 방법조차 잊어 버렸다.

마지막으로 사랑한것이 언제였었나…? 광수생각.타

나는 처음 보는 사람들 앞에서 잘 웃지 않는 편이다.
그들이 나를 어떻게 생각하는지 모르는데,
내가 그들 앞에서 감정을 드러낸다는 것은
적지 않은 부담감이 있기 때문이다.
거기에다 나는 얼굴에도 살이 가득하여 엔간히
크게 웃지 않으면 웃는 얼굴로 보이지 않기 때문에,
늘 무표정하다는 얘기를 많이 듣는다.
하지만 나와 친한 사람들은 내가 기분 좋은 것을
웃음 소리나 입 모양으로 판단하지 않고, 눈에 잘
띄지는 않지만 가늘게 살짝 뜨는 눈을 보고
판단한다. 언제가 될지는 모르겠지만, 내가 나를
버리고 편하게 웃을 수 있는 그런 날이 왔으면 좋겠다.
눈과 입으로 웃는다는 것,
많이 해보지는 않았지만 참 기분 좋을 것 같다.
"하하하!"

오랜시간이 지난후 나는 나무로 다시 태어났다.

또 얼마나 시간이 지났을까… 오래전 내가 사랑했던 그가 날 찾아왔다.

그는 참으로 오랜시간이 지났어도 아픔만을 남겨둔 채 또 내게서 떠나갔다. 그는 나무꾼, 나는 나무…

나무 사이에서 불어오는 바람의 시원함을 나무꾼은 모른다. 문득 생각난다.

내가 제일 좋아하는 노래 중에는
송창식 아저씨의 '나의 기타이야기' 가 있다.
그 노래는 무지무지하게 긴 노래였는데(4절까지 있다),
그 노래를 들으면 넓은 언덕 위에 큰 나무 앞에 서 있는
듯한 기분이 든다. 노래 가사는 이렇게 시작된다.
"옛날옛날 내가 살던 작은 동네에
늘 푸른 동산이 하나 있었지.
그곳엔 오동나무 한 그루하고
같이 놀던 소녀 하나가 있었지..."
결국 노래는 3절쯤에 가서 소녀의 죽음을 알리는 가사가 나오고,
사내는 옛날을 그리워한다는 내용이었는데, 나는 그 노래를
들을 때마다 참 슬픈 기분이 들곤 한다.
생각해 보면 누구에게나 그런 추억의 나무가 실제로 혹은,
마음속에 오래오래 남아 가슴을 아프게 하는 것 같다.

우리 작업실에는 씨디가 많다.
왕머리 신진택은 난해한 음악을 주로 틀고,
막내 철영이는 신나는 음악을 주로 튼다.
나는 주로 텔레비전을 튼다.

TV보고..

사사우고..

…

…

술마시고..

음냐 음냐..

만화책보고..

…

코딱지 파고… 사랑만 하기에도 부족한 시간에 나는 참으로 많은 일을 한다.

사랑할 수 있는 날이 많지 않음을 생각한다. 광수생각 EH

살아있는 동안에 사랑만하며
살수 있다면 나는 모든걸 버릴수있다.

검문 이게씀다! 트렁크를 열어 주십시오...

덜컹!

차에 웬 칼이 이렇게 많은 거죠?

예, 제가 매일 야간업소에서 칼쇼를 하거든요!

그걸 어떻게 믿죠...? 어디 시범을 보여주시죠!

훌륭하시군요!

믿겠습니다. 그냥 가시죠!

....

꾸벅!

음주검사가 날로 어려워지니, 내참 더러워서 술을 끊어야지...

술 없이 살기 어려운 시대에 술을 끊으라 신다. 광수생각.下니

당신이 이 글을 읽을 때쯤이면 나는 그 동안
타고 다니던 외제차를 팔아버렸을 것이다.
그리고 아마도 자전거를 타고 다니지 않을까 생각한다.
차를 몰면서 느끼는 것은 욕밖에 없고, 창 밖을 볼 수 있는
여유도 별로 없으며, 술만 먹으면 늘 전전긍긍하는
내 자신이 너무너무 한심스러워서 차를 팔아버려야겠다는
쪽으로 생각이 많이 기울었다. 나는 음주운전을
하고 싶다. 술을 먹고 내 귀를 가르는 바람 소리를 들으며
도로를 달리고 싶다. 그래서 나는 차를 팔고 자전거를 살 것이다.

지상으로 유배되어 이 땅의 법으로 삽니다. 광수생각 END

나는 법을 잘 지키지 않는 사람이다.

절대로 횡단보도나 육교로 건너는 법

이 없고, 고속도로에서 제한속도를 지키면서 가는 법이 없다.

나는 법이라는 것이 늘 거추장스러운 옷과

같다고 생각하면서 산다. 그래서 늘 벗어버리기를

원하지만 주변에서는 그런 내 생각에 대해서 충고한다.

그걸 벗어버리면 굉장히 추워질 거라고...

우리 선배인 병곤이 형 회사에서 직접 제작한 인형이다.
거의 실물에 가까운 인형으로 잠깐 본다 고 거짓말을 하고
2년째 돌려 주지 않고 있다. 회사 이름은 '엘판' 이다.

우리가 진정 알아야 하는건은 무엇입니까? 광수생각 ㅌㄴ

세상을 살아가는 방법은 굉장히 많은 것 같다.

어떻게 살아가느냐에 따라서 어떤 것을 배워야 하는지도

달라지는 것이다. 나는 살면서 우리들이 너무 쓸모없는

것들을 많이 익히고 배우는 것이 아닌가

하는 생각이 든다. 정작, 중요한 것이 무엇인지 모르며,

지켜야 할 것을 지키지 않는다는 것이다. 내 인생에서 가장 배우고

싶은 것이나, 내 자식들에게 가장 가르치고 싶은 것은 바로 '사랑' 이다.

사랑이 바탕이 되는 삶이야말로 내 삶을 그리고

내 자식들의 삶을 풍요롭게 한다고 믿고, 그렇게 가르치며,

배우며 살고 싶다.

따르르릉!

여, 광수 잡업사입니다!

여, 문화부 김광수입니다. 아이디어를 드리려고 전화했습니다.

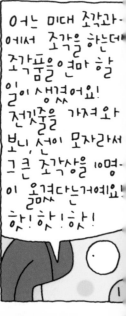

어느 미대 조각과에서 조각을 하는데 조각품을 옮겨야 할 일이 생겼어요! 전깃줄을 가져와 보니, 선이 모자라서 그 큰 조각상을 10명이 옮겼다는거예요! 핫! 핫! 핫!

핫! 핫! 핫! 바보같이 전깃줄을 더 연결하면 될텐데, 그 큰 돌을 끙끙대며 옮기다니... 핫! 핫! 핫! 정말 재미있죠? 너무너무 웃기죠? 핫! 핫! 핫!

재미있죠!

예, 아주 재미있군요

우릴 왜 불렀어...?

썰렁...

제게 여름은 그렇게 찾아왔습니다. 광수생각. 끝.

내 주변에는 나에게 아이디어를 주려고 하는 사람들이 많다.
그들의 도움은 언제나 감사하고, 내게 고마운 일
이지만 그들이 말하는 아이디어를 듣는다는 것이 늘 즐거운 일만은 아니다.
말하기 전에 그들의 표정은 항상 이 이야기를 들으면 내가 아마 웃다가 죽거나,
커다란 감동의 눈물을 흘릴 거라는 생각에 어마어마하게 흐뭇한 표정을 지으며
이야기를 시작한다. 하지만, 내가 눈물을 흘리면서 이야기를 듣거나 웃다가
죽는 경우는 드물어서 항상 나는 그들에게 "그게 다야?" 라고 반문한다.
그럼 그들은 "재미없어? 재미없어?" 하고 재차 물으며 내게
재미를 강요하고, 나는 즉시 다른 일에 몰입한다. 그리고 내가 후일 그들에게
무슨 이야기를 하면 그들은 한결같이 복수심에 불타서 내게 반문한다.

"그게 다야?"

나는 작업 도중에 멀리 있는 화장실까지 가서
세수하는 걸 굉장히 싫어한다. 그래서 항상
물티슈를 사용해서 손이며 얼굴을 닦는데
그때마다 신진택은 구박을 한다. 화장실에 가서
직접 닦으라고. 그런데 언제부터인가
왕머리 신진택도 물티슈의 애용자가 되었다.

닭기 누굴 닮겠습니까, 당신자식 당신닮았지... 광수생각. 끝.

나는 한 번도 성적표를 아부지에게
보여드린 적이 없다. 그 이유는 아부지가
내 성적표를 보신다면 <u>아부지가 쓰러지시든지,</u>
<u>내가 아부지에게 맞아서 쓰러지든지</u>
둘 중 하나 일까 봐서이다. 대학 다닐 때도 마찬가지였고,
아무튼 아부지는 내 성적표를 한 번도 보신 적이 없으시다.
하지만 좀더 시간이 지나고 그런 성적표가 있다면, 아부지를
속이고 몰래몰래 도장 찍어 갔던 성적표에 도장을 받고 싶다.
내 인생의 성적표에...

아부지가 말씀하셨습니다.
'우리 광수가 착한일을 하다니,
해가 서쪽에서 떠겠는걸..'
아부지 서쪽에서 해가
자주 뜨게 하겠습니다.

매일 서쪽에서 해가 뜨는 세상이면 좋겠습니다고 광수생각

당신이 내 만화를 밤 늦은 시간부터 보기 시작해서
새벽 동틀 때쯤에 책읽기를 마쳤으면 한다.
그래서 해뜨는 모습을 보면서 당신이 하루를 설계하고
더 나아가서는 일주일, 일 년, 그렇게 당신을
만드는 데 조금이라도 일조를 했으면 하는 바람이다.
내가 아부지에게 매일 서쪽에서 해가 뜨는 것을 보여주고 싶은 것처럼,
당신도 당신 주변 사람들에게 매일 해가 서쪽에서 뜨는 것을
보여줄 수 있게끔 매일매일을 노력으로 채우면서
살았으면 한다.

맛있게
드셨습니까?

맛있게 드셨습니까? 이제 당신이 다 드신 그릇을 가지고 가겠습니다. 제가 가진 솜씨를 최대한 발휘해서 만들었지만, 당신의 입맛에 맞았는지 모르겠군요. 다음번에는 당신이 모든 잡념을 잊고 맛있게 드실 수 있게끔 더욱 더 실력을 키우고 더 정성을 기울여 만들겠습니다.

나는 세상의 모든 어른들에게 말하고 싶다. "아이를 믿어 주세요. 그리고 그 아이가 잘할 수 있는 부분이 꼭 공부가 아니어도 괜찮지 않을까요? 모두가 공부로 성공하는 것은 아니잖아요." 모두가 저마다 재능과 기질이 다른데 공부란 한 우물만 강요하는 것은 도리어 문제를 그르칠 수도 있다고 생각한다. 짜장면을 굉장히 싫어해서 냄새도 맡기 싫은 아이에게 '이것이 인생'이라며 억지로 먹인다는 건 적절한 해답이 아닌 것 같다. 내가 그 아이라면 우선은 꾹 참고 먹겠지만 곧 젓가락을 던질 것이다. 아니면 꾸역꾸역 먹다가 배탈이 나서 안 먹은 것만도 못한 일이 벌어질지도 모른다. 마찬가지로 그 아이에겐 울며 겨자 먹기 식의 짜장면이 아닌, 그 아이가 좋아할 다른 음식이 꼭 있을 것이다. 그것이 짬뽕이면 어떻고, 볶음밥이면 어떻고, 행여 당신의 주머니를 좀 가볍게 할 탕수육이면 어떤가.

언제부터인가 난 여행을 떠나는 친구나 아는 사람들에게 꼭 선물하는 것이 있다. 그것은 비상약이나 손수건 같은 것은 아니다. 그것은 언제나처럼 남북을 가리키는 나침반이다. 어딜 가더라도 길을 잃지 말라는 의미에서이다. 예전에 〈광수생각〉에 나침반을 그린 적이 있다. '지금 화양리 뒷골목, 영동 뒷골목…. 그 이름 모를 어느 낯선 곳을 헤매고 있을 나의 젊은 날에 조그마한 선물을 보낸다.' 그리고 끝에 이런 말을 썼다. '다시 집으로 돌아가 시작하자'고. 그 만화가 나가고 나서 며칠 뒤 조선일보에 한 아이가 전화를 해왔단다. 그 아이는 냉랭하고 가라앉은 목소리로 말했다고 한다. '나도 그 만화 봤어요. 그래요, 나도 돌아가고 싶어요. 그치만 난 돌아갈 곳이 없어요. 아시겠어요?' 그런 얘기를 전해 들었는데 정말 가슴이 답답했다. 그 아이는 돌아갈 자리가 있으면 돌아가고 싶다는 생각인데, 이젠 주변 상황이 그 아이를 받아 주지 않는다는 얘기였던 것 같다.

예전의 어머니들이 아이가 몇 달씩 집에 들어오지 않아도 언제 들어올지 모를 자식을 위해 밥 한 그릇을 아랫목에 묻어 놓듯, 그렇게 기다려주었으면 한다. 그래서 그 아이가 돌아오면 언제든지 들어올 수 있도록 마음의 빗장을 열어 두었으면 좋겠다. 세상의 모든 어른들이 말이다. 그래서 내 젊은 날의 친구들, 그 '문제아'들이 젊은 날 절망하고 삶을 포기하는 일이 없도록, 불신으로 가득 찬 인생을 설계하지 않도록 도와주었으면 한다. 그때 그 사춘기 시절 당신에게 그런 어른이 없었다면 당신도 문제아로 남았을지도 모르지 않는가. 그리고 내 젊은 날의 친구들아, 생각해 보렴. 어디서 무엇을 하며 네가 인생을 보내고 있는지를. 그리고 조용한 가운데 네 마음이 이끄는 대로 향해 가렴. 넌 너 자신을 믿는 거야. 알겠지?

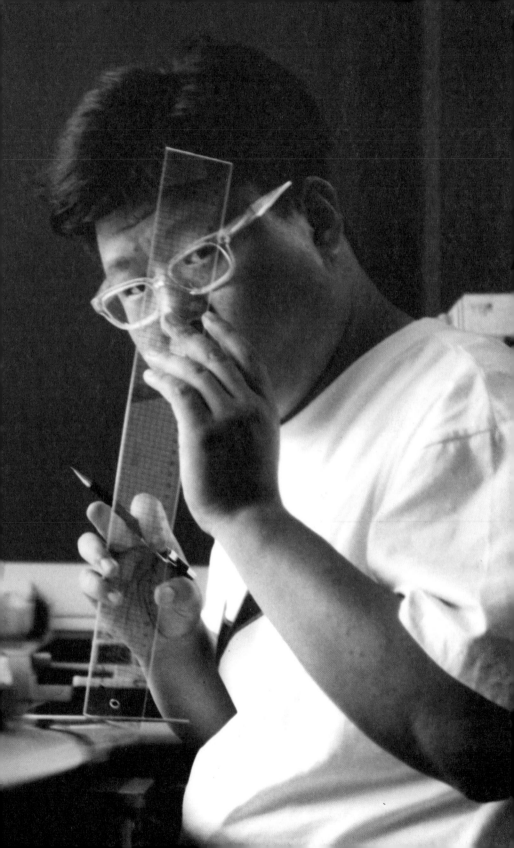

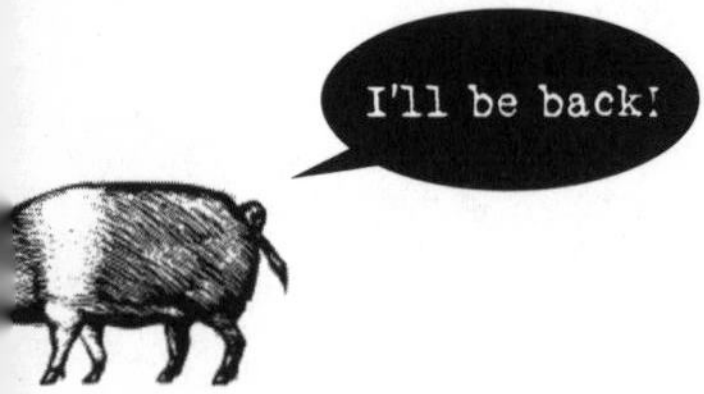
I'll be back!